USA AIRLINES

Poly Price
Calle Laurel, 3, Londres,
Inglaterra, Unión Europea
San Francisco, EUA
01702 1431689

Ahora mismo
no sé si...

Londres Teatro

Gira americana de *DESCONSUELO*

Mi Diario SUPERSECRETO

De gira por América

(con una pandilla de teatreros, casi todos antipáticos ~~sobre todo~~ sobretodo las chicas)

Mío y solamente mío.

de Poly Price

ASÍ QUE POR FAVOR ¡NO LO ABRAS!

Dirección editorial: Elsa Aguiar

Coordinación editorial: Berta Márquez

Maquetación: Cristina Rico

Traducción: María Roura-Mir

Título original: *My Totally Secret Diary: On Stage In America*

Publicado por primera vez en Gran Bretaña por Doubleday, como parte de Random House Children's Books

© del texto y las ilustraciones, Dee Shulman, 2008

© Ediciones SM, 2009

Impresores, 2

Urbanización Prado del Espino

28660 Boadilla del Monte (Madrid)

www.grupo-sm.com

Atención al Cliente

Tel.: 902 12 13 23

Fax: 902 24 12 22

e-mail: clientes@grupo-sm.com

ISBN: 978-84-675-5353-10

Depósito legal: M-15638-2009

Impreso en España /*Printed in Spain*

Imprime: Gráficas Monterreina, S.A.

Cualquier forma de reproducción, distribución, comunicación pública o transformación de esta obra solo puede ser realizada con la autorización de sus titulares, salvo excepción prevista por la ley. Diríjase a CEDRO (Centro Español de Derechos Reprográficos, HYPERLINK "http://www.cedro.org" \o "http://www.cedro.org" www.cedro.org) si necesita fotocopiar o escanear algún fragmento de esta obra.

24 de Julio

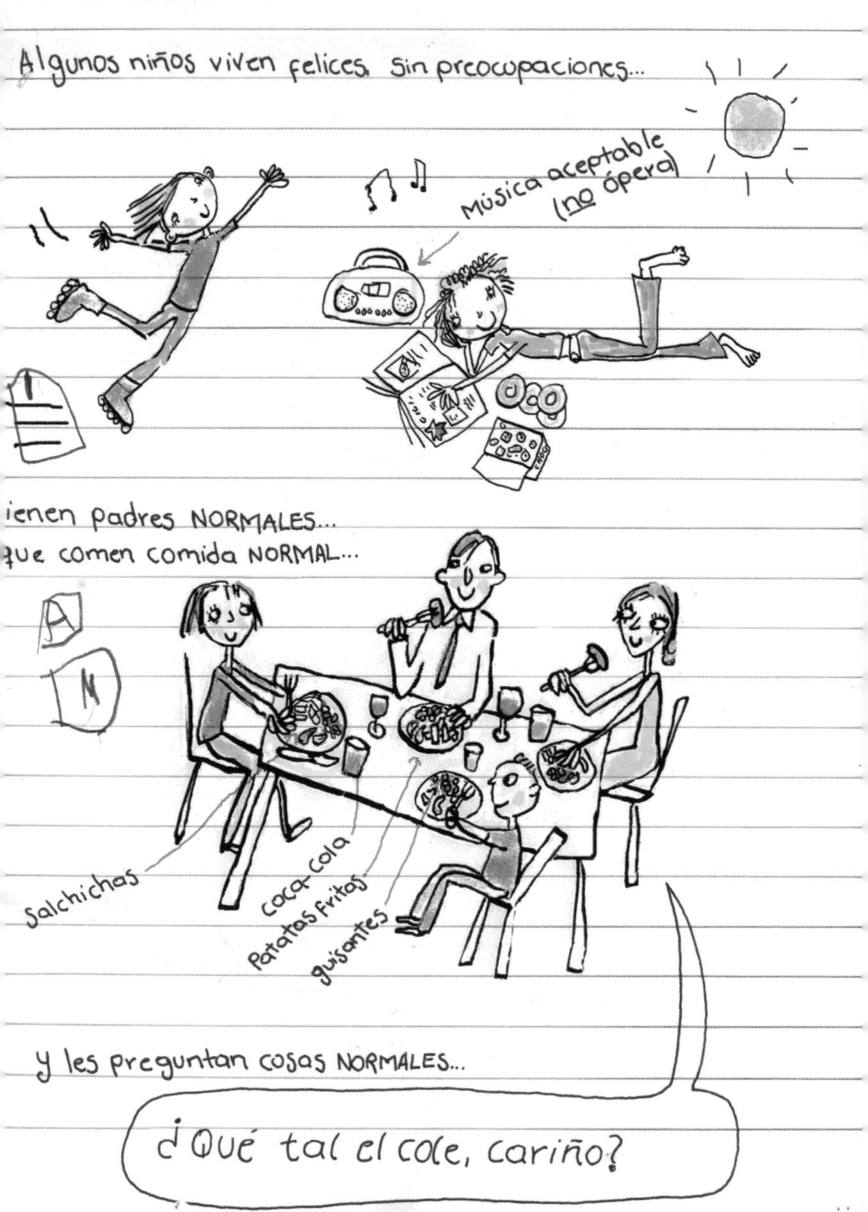
Algunos niños viven felices, sin preocupaciones...
Música aceptable (no ópera)
ienen padres NORMALES...
que comen comida NORMAL...
Salchichas
Coca-cola
Patatas fritas
guisantes
Y les preguntan cosas NORMALES...
¿Qué tal el cole, cariño?

Por desgracia, yo no soy de esos. Yo soy la **trágica** víctima de un DESASTRE de madre.

Y solo se me ocurre una forma de suavizar mi desgracia: contarlo todo aquí por escrito.

Así que este es el

DIARIO DE MIS PENAS

Al principio no iba a ser un diario de penas. De hecho ni siquiera es un diario de verdad. No es más que un cuaderno que estaba **DE OFERTA** ayer, y que compré con el dinero del viaje.

No tenía pensado escribir nada hasta que llegara a América y empezara a pegar cosas: el billete de avión, postales, mapas y documentos importantes del viaje.

ESPACIO RESERVADO PARA DOCUMENTOS IMPORTANTES DEL VIAJE Nº 1

Esto es lo único que me ha cabido: chicle de canela. ¡QUÉ ASCO! el peor inver... la HISTO...

La verdad es que este cuaderno descansaba muy tranquilito en el fondo de mi maleta junto a otras cosas imprescindibles...

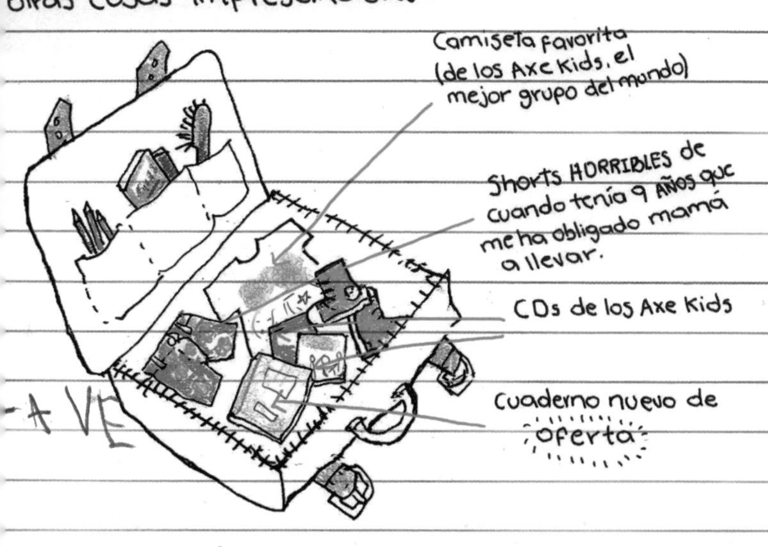

...pero la desesperación me ha obligado a ~~malgastarte~~ sacarlo y empezar a escribir.

Y cuando digo desesperación no estoy esxagerando.

Yo llevaba MUCHOS días preparada, con las maletas hechas.

Mi madre, en cambio, no.

La desastre

Ella ha empezado a hacer las maletas cuando ha llegado el taxista.

Cuando el pobre hombre iba por la tercera taza de té verde...

muy frío

frío

templado

HE TENIDO que hacer algo.

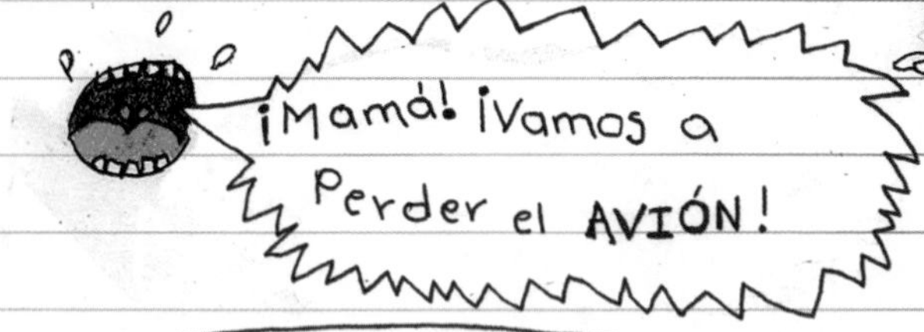
¡Mamá! ¡Vamos a perder el AVIÓN!

¡Es que no sé qué llevarme, Polillita!
¿Me llevo el rosa? ¿Me queda bien el rosa?
El de lino **azul** me **encanta**, pero se arruga **tanto**... y el **negro** que es tan versátil... quizás en América se vea un poco... qué se yo... un poco **negro**...

Al final hemos resuelto el problema. Se los ha llevado todos.

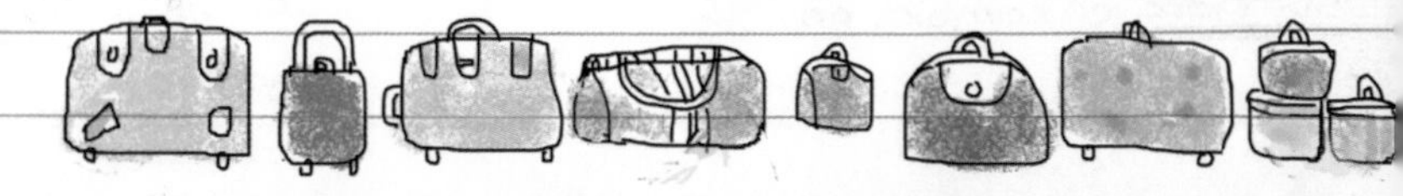

Jo y el taxista hemos cargado todo en el coche.

nora estoy en el
ismo taxi, inspirando
ofundamente para
tentar tranquilizarme
no agujerear con el boli
página de mi flamante
uaderno nuevo.

BLACK-CAB RECEIPT

AMOUNT £ 17

lamá está en el asiento delantero, al lado del
axista, con las piernas cruzadas y
ararcando

A

Depinga ga que panga...

Que nadie busque estas palabras en el diccionario.
Mamá se las inventa. Las va repitiendo como una
cantinela. Se supone que esto la ayuda a centrarse.
Pero a mí no me ayuda a centrarme. AL CONTRARIO
l sonsonete no me deja pensar en
o que escribo.

PUE.ESC

Así que voy a dibujar un poco
hasta que mi madre se centre. ← se calle

YO

NOMBRE: Poly es un nombre muy poco guay, sobre todo si a tu madre le gusta llamarte Polillita (o cosas peores). Poly es el diminutivo de otro nombre, pero nunca voy a revelar de cu

EDAD: Casi 12 años

OFICIO: Tratar de no volverme loca

MP3
herramienta vital para ignorar a una madre
CUADERNO
nuevo para mi diario
TELÉFONO
más importante todavía (aunque mamá me ha prohibido que me llamen a América porque allí se pagan las llamadas recibidas)
VAQUEROS
que mamá odia
ZAPATILLAS
que mamá odia incluso más que los vaqueros

MI MADRE

NOMBRE: Arabella Diamonte (creo que se lo inventó ella)

EDAD: Treinta y tantos

OFICIO: Actriz
(y con esto está todo dicho)

GAFAS DE SOL
No sale de casa sin ellas
MAQUILLAJE
en cantidad exageradísima para una madre
PELO
Demasiado largo y rojizo para una persona de de su edad
LARGAS UÑAS ROJAS
Su excusa perfecta para no cargar con el equipaje
ROPA
¿Qué puedo decir?
TACONES
¿¿Cómo se puede hacer algo con eso puesto?

¡Por fin! Ya dejó de canturrear y se está repasando el maquillaje. Eso debería dejarme suficiente tiempo para apuntar algunos datos ~~retelan~~ importantes... como por ejemplo:

ADÓNDE VAMOS. Respuesta: ¡A San Francisco! 

POR QUÉ Respuesta: Porque la obra de teatro en la que trabaja mi ma

DESCONSUELO

se estrena allí y yo la acompaño... si es que llegamos a coger el avión.

HACE UNA SEMANA

ilusionada

radiante

sonriente

Si me vierais ahora no adivinaríais nunca que hace SEMANAS que espero este viaje con ilusión

AHORA

Sudor

Signos de agotamiento

ataque nervi

¡Uf! ¡Llegamos al aeropuerto!!!

¡Me tengo que ir!

N EL AVIÓN

omo llegamos tan tarde, mi madre se las arregló para convencer al
rsonal de que todas sus maletas eran

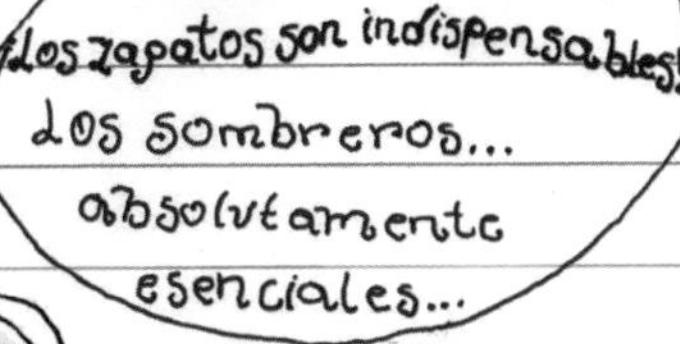

¡IMPRESCINDIBLES!
¡Los zapatos son indispensables!
Los sombreros...
absolutamente
esenciales...

Está bien, está bien,
¡Súbalos al avión!

Acabábamos de molestar a toda la gente PUNTUAL para sentarnos en los dos únicos asientos libres cuando mi madre se levantó.

¡IMPOSIBLE! ¡Aquí no puedo sentarme!
¡No tengo espacio para las piernas!
¡Necesito un asiento de pasillo!

La sonrisa de la azafata se había ido transformando en gruñido

SEÑORA, POR FAVOR, ¿SERÍA TAN AMABLE DE TOMAR ASIENTO? ¡VAMOS A DESPEGAR!

Pero mamá no se sentó y siguió protestando A GRITOS.

La gente no sabía adónde mirar. Sobre todo el pobre hombre de piernas kilométricas que estaba sentado en el pasillo, a mi lado.

Tratando de parecer concentrado en la lectura
Podríamos despegar si alguien se ofreciera para cambiarme el sitio.

Yo sabía que mi madre iba a ganar
Solo era cuestión de tiempo.

23 segundos para ser exatos.

El hombre y yo intercambiamos miradas de resignación y comprensión mutuas.

Mamá, en cambio, era todo alegría y felicidad.

¿No estás contenta, Polillita?
¡Es que me ENCANTA viajar en avión!

La alegría y la felicidad de mi madre deben de ser agotadoras, porque en cuanto despegamos, se quedó dormida.

Que mamá no vea **NUNCA** esta foto (la saqué con el móvil)

Esto me ha dado tranquilidad para escribir sobre el viaje hasta aquí.

Creo que hasta tengo tiempo para añadir algunos datos geográficos importantes.

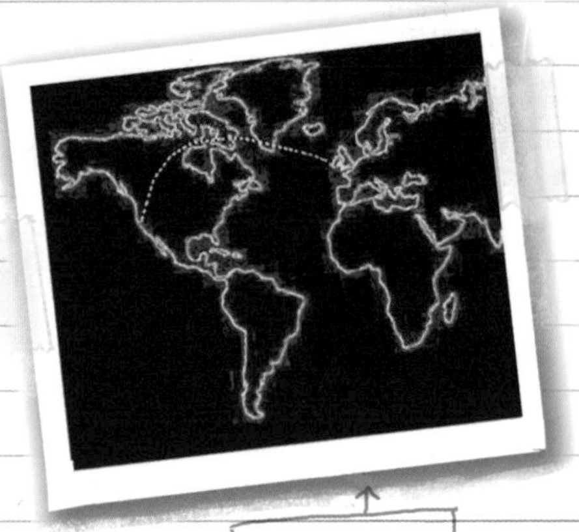

Según la pantallita que tengo enfrente...

¡Ni un poquitín borroso!

¡Huy! Mamá acaba de levantarse.

PELIGRO

¡No!
¡Horror, está saludando!
¡DANIEL, QUERIDO! ¿Estáis todos aquí? ¡Fantástico!
UN MOMENTO el sobrecargo entra en acción
SEÑORA, esto no es... Oh, DIOS MÍO... ¿Usted no es A-A-Arabella?
¡La mismita!
voz de diva
¡Estoy... Estoy emocionado! ¿Qué puedo hacer por usted?
¡METISTE LA PATA, azafato!
¡Huy, qué CIELO de hombre! Sí, hay una cosita que podría hacer...
sonrisa deslumbrante

A los chicos de la compañía y a mí nos encantaría hacer una pequeña fiesta... En primera, quizás... para molestar menos, ¿no?

mamá mirando a su alrededor con cara de consideración

Bueno... ejem... ¿Por qué no? De hecho no va casi nadie allí.

aplasta

Mamá recompensa al chico con un abrazo agobiante, pero él parece contento, y se lleva a mamá y a todos los actores.

Yo me hundo en mi sillón. Si cierro los ojos a lo mejor se olvida de mí...

¡VAYA!

tirón

no estoy segura

MÁS TARDE (el mismo día/la misma noche)

TRUCO

Si cierras los ojos un buen rato y pones el volumen del MP3 a tope, puedes llegar a aislarte de tu madre y de sus amigos y hasta puedes dormir.

El problema es que requiere mucha concentración y que es MUY desagradable que te despierten otra vez.

Poly, ¡ya HEMOS LLEGADO!
¡DESPIERTA!
¡Y llévame todo esto!

Miré el reloj... y era ¡casi MEDIANOCHE!

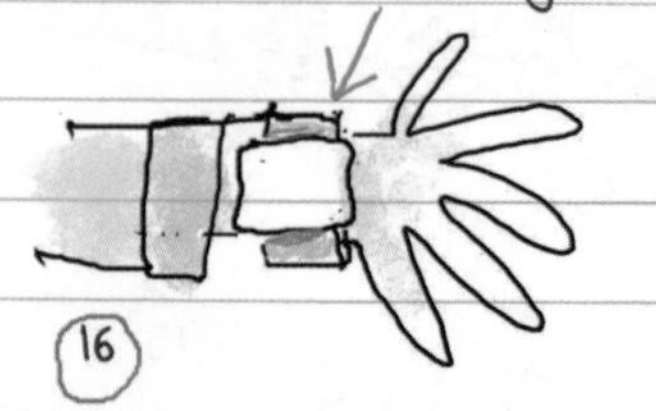

Miré por la ventana... y hacía sol (¿?)

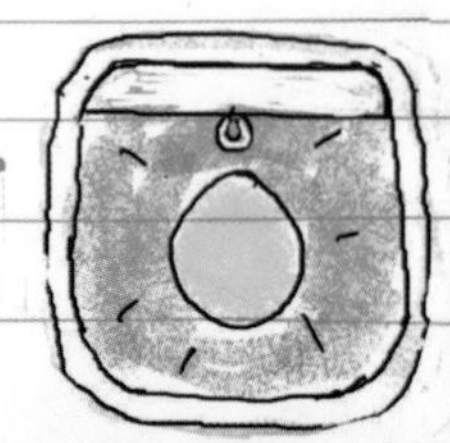

nunca re~~bé~~velaré mi verdadero nombre

De verdad ~~Hipólita~~ Poly, no lo entiendo. ¿Es que en el cole no te han explicado nada del cambio horario? ¡Yo no sé qué hace todo el santo día esa señorita Queascos!

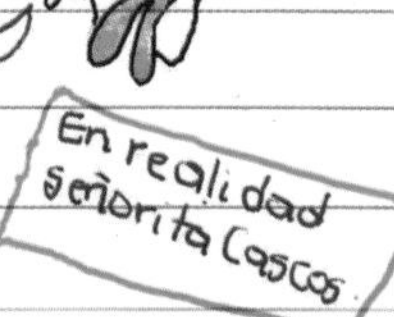

En realidad señorita Cascos

Y a ver si dejas de mirar el reloj y parpadear como una boba. Quiero ir al hotel antes del estreno

USA AIRLINES
BOARDING PASS

NAME OF PASSENGER
HIPÓLITA PRICE

LONDON HEATHROW
SAN FRANCISCO INT
USA AIRLINES

CARRIER	FLIGHT	CLASS	DATE	TIME
AA	142	0		

GATE	BOARDING TIME	SEAT	SMOKE
9	745A	26A	NO

ADDITIONAL SEAT INFORMATION

PCS CK WT. UNCK WT. SEQ NO.

BAGGAGE ID NR

GROUP 5

COUPON AIRLINE FORM SERIAL NO. CK

45Q / SFO

OTRO DOCUMENTO IMPORTANTE DEL VIAJE

No recuerdo mucho del viaje desde el aeropuerto... Me debo de haber quedado dormida otra vez. La cuestión es que ya estoy en

SAN FRANCISCO

ntada -mejor dicho, acostada- en una cama muy grande y muy blanda

25 de Julio   Día siguiente ← eso dicen

Vamos a desayunar. Polillita-chiquita... ¡Arriba!

Acaba de despertarme OTRA VEZ

La verdad es que hace tanto tiempo que mi madre me arrastra por el mundo que ya no me preocupo si me despierto en una cama extraña.

Tengo mis ~~estrategi~~ estrategias

En esta ocasión, decidí que la mejor estrategia era cerrar los ojos y dormirme otra vez.

Me acabo de despertar otra vez... MUERTA DE HAMBRE... pero ahora el cerebro me funciona lo suficiente para concentrarme en una palabra muy importante

Desayuno

Para encontrar desayuno tengo que activar

LA ESTRATEGIA DE EMERGENCIA N° 2:   La nariz ← nunca falla

LA NARIZ consiste en seguir el olor a desayuno del hotel... bajando dos pisos por unas escaleras hasta llegar al...
SÍ...
EL COMEDOR
Era imposible no ver a mamá enseguida.
Buenos días, preciosa. ¿Cómo quieres los huevos? ¿tibios, estrellados, rancheros, escalfados...?
Así que me senté delante de ella.
¿Qué idioma habla esta gente?
Lo mejor que podía hacer dadas las ~~circust~~ circunstancias era señalar el plato que se estaba zampando mamá, que estaba lleno de
huevos
gofres
¿SALCHICHAS?
patatas fritas

¿Mamá está comiendo CARNE? ¡Pero si se supone que es **VEGETARIANA**!

Mejor dicho, se supone que es **VEGANA** ← los vegetarianos más ESTRICTOS

Por lo menos eso ha sido durante los últimos ocho meses,

desde que empezó su Etapa ~~Vud~~ Budista ←

Total, que estoy mirando cómo mamá se atiborra de salchichas

y huevos fritos...

¡también prohibidos!

... y me he quedado **SIN HABLA**

¡CLONC!

¡GUAU!

¡Mira lo que acaba de aterrizar delante de mí!

ETAPA BUDISTA DE MAMÁ: ¡Pesadilla total! Que mamá se haya hecho vegana significa que YO he tenido que renunciar a todo lo que me gusta: chuches, chocolate, flan, helado, salchichas, ~~augue~~ nuggets, etc. Ni siquiera me deja comer patatas fritas (y eso que he descubierto que los veganos NO las tienen prohibidas) porque según ella, TODO LO FRITO ES VENENO. Así que hace MESES que no comemos más que alubias y arroz. Y ensaladas. Seguro que estoy clínicamente desnutrida.

Acabo de decidir que quedarme SIN HABLA ante semejante ~~ultrage~~ ultraje es importante, pero no tan importante como zamparme todo el plato antes de que mamá se vuelva vegana otra vez.

¡Horror! Se ha levantado otra vez.

Date prisa, cariño. Nos vamos al teatro en 3 minutos

Pebo, mamá...

migas de gofre desperdiciados

Vocaliza bien.

¿Yo?

No querrás hacer carrera en el teatro si masculllas así...

Tragué lo que tenía en la boca.

Pero yo pensaba que íbamos a dar una vuelta por San Francisco y así...

Pronunciando con gran claridad

¡No seas tonta! ¡Tenemos que ensayar! ¡Estrenamos dentro de 3 días!

Pero si lleváis un año haciendo esta obra en Londres. ¡Os la sabéis de memoria!

Hipólita, ¿cuántos años hace que te relacionas conmigo?

¡Me rindo! Bravo por el secreto de este diario

¿Hay alguna madre normal que hable así?

Seguro que a pesar de tu limitada capacidad de observación, a estas horas ya te habrás dado cuenta de que cada teatro es distinto, ¿no? Hay que adaptar la puesta en escena. Queremos ofrecer un espectáculo impecable al público Americano...

Y además, los niños no hace tanto que empezaron...

¿Los niños? ¿Qué niños?

Santo cielo, hijita, ¿es que tu cerebro no retiene nada de nada?

¡Los... ni... ños... del... re... par... to!

Será una oportunidad maravillosa para que los conozcas.

Antes de que se me ocurra una excusa para ESCAPAR, mi madre me saca del hotel, a las calles de San Francisco. Y no es nada fácil escribir tu diario mientras esperas en los semáforos.

DOCUMENTO IMPORTANTE DEL VIAJE

¡encontrado en el suelo de un semáforo!

Sobre todo si vas con una madre que te sacude cada vez que te agarra por el hombro para cruzar una calle,

EL TEATRO. Un poco más tarde

Las cosas no van nada bien.

Mi madre me ha llevado en VOLANDAS entre un montón de actores y actrices hasta dos niñas que están cuchicheando...

... dos niñas fácilmente ~~identifiqu~~ identificables como ACTRICES INFANTILES.

NOTA IMPORTANTE

NIÑOS EN EL TEATRO

La mayoría de los niños que rondan por los teatros están ahí porque no tienen otra opción. Son las trágicas víctimas de padres y madres ~~arog~~ arrogantes, que los arrastran por el mundo y los obligan a pasar horas y horas solos, leyendo cómics viejos en completo silencio en camerinos de mala muerte.

Evidentemente, yo soy de esta categoría

Pero también hay otra raza de niño:

EL ACTOR INFANTIL

Este, o esta, está ahí porque quiere estar. Se puede afirmar con bastante seguridad que un ACTOR INFANTIL es el último niño que una persona normal (yo) escogería para pasar un verano en San Francisco.

Volvamos a las chicas que cuchichean...

¡Ah! Estáis aquí, chicas...

ha quedado bien claro que las rubias teñidas estaban encantadas de que las interrumpieran.

Un milagro me ha salvado de la tortura, porque en aquel preciso momento ha hecho su entrada...

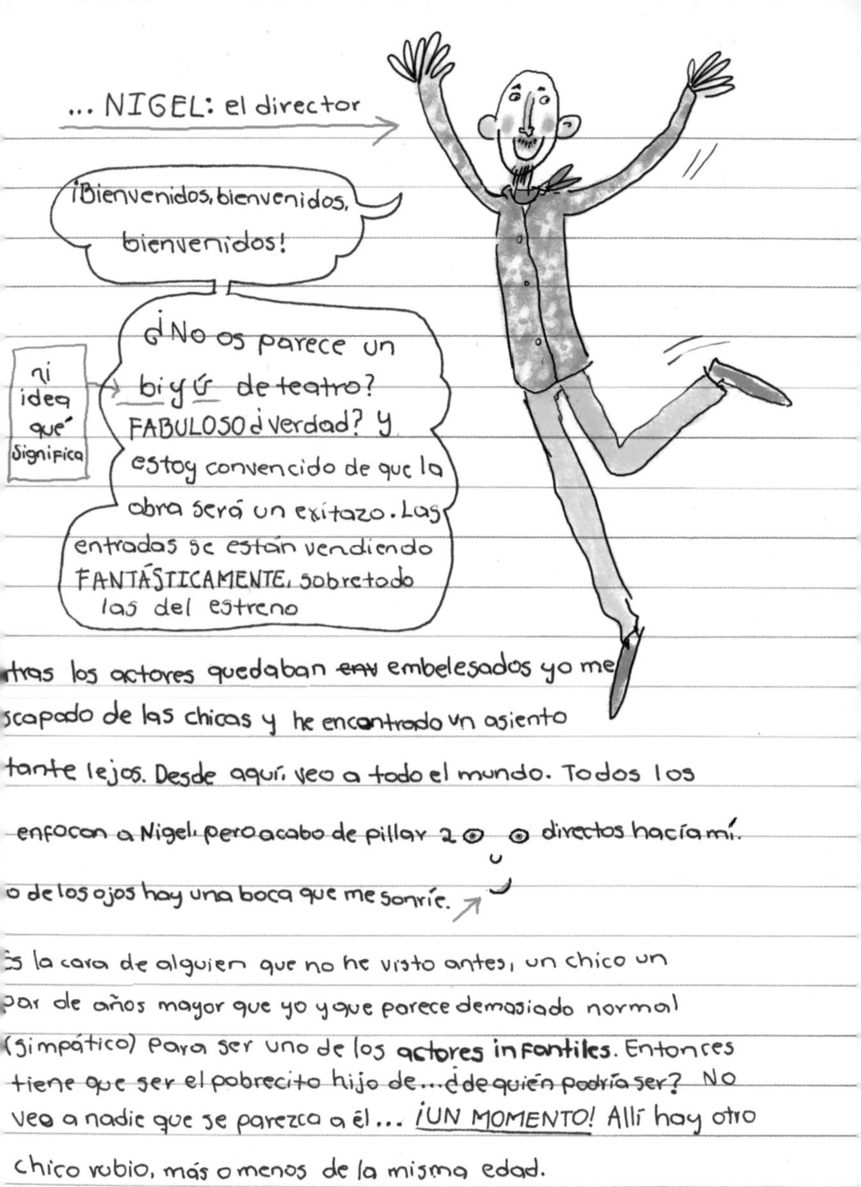

... NIGEL: el director
¡Bienvenidos, bienvenidos, bienvenidos!
¿No os parece un biyú de teatro? FABULOSO ¿verdad? Y estoy convencido de que la obra será un exitazo. Las entradas se están vendiendo FANTÁSTICAMENTE, sobretodo las del estreno
ni idea qué significa

tras los actores quedaban ~~en~~ embelesados yo me scapado de las chicas y he encontrado un asiento tante lejos. Desde aquí veo a todo el mundo. Todos los enfocan a Nigel, pero acabo de pillar 2 ◉ ◉ directos hacia mí. o de los ojos hay una boca que me sonríe.

Es la cara de alguien que no he visto antes, un chico un par de años mayor que yo y que parece demasiado normal (simpático) para ser uno de los **actores infantiles**. Entonces tiene que ser el pobrecito hijo de... ¿de quién podría ser? No veo a nadie que se parezca a él... ¡UN MOMENTO! Allí hay otro chico rubio, más o menos de la misma edad.

¡ESTE SITIO ESTÁ PLAGADO DE NIÑOS!

Bla, bla, bla... queridos... rollo bla rollo

El segundo chico todavía no me ha visto. Está superocupado con Ofelia y Aurora... que le acaban de pasarle una notita.

Ahora los tres se parten de risa.

Tienen SUERTE de que nadie los haya visto, porque a Nigel se le ha terminado el rollo y todos están haciendo una pausa y tomando café. A ~~excep~~ excepción de los técnicos que están montando el escenario para el ensayo.

La verdad es que ahora tengo ganas de que empiece este ensayo... Bueno, la verdad es que me <u>muero</u> de ganas de ver cómo se las arreglan las **BE LAS MECHAS** ¡para actuar como personas NORMALES!

<u>¡OH, OH!</u>

Se me está acercando una cosa roja y muy peligrosa...

Cariño, los niños no tienen que ensayar hoy, así que la chica que se ocupa de ellos, que se llama Donna y es <u>UN TESORO</u>, ¡se ha ofrecido para llevarte con ellos a ver San Francisco! Qué suerte, ¿verdad?

DONNA
¿Alguien piensa que tener que pasar toda la tarde con Ofelia, Aurora y Donna es una suerte?
Yo, no.
Ejem... Mami... Es que me apetece veros ensayar.
sonrisa encantadora
Tiene que colar
¡Ay, cariño! Me voy a emocionar. Pero ¿sabes qué? El ensayo de mañana es mucho mejor... y visitar la ciudad ¡será muy divertido! Además la señorita Queascos se alegrará de que hayas trabajado un poco!
¿QUÉEEEEEEE? ¡No me digas que voy a tener que ir a **clase**!
Pues claro, Polillita. Todos los niños tienen que ir a clase. No querrás quedar atrasada ¿verdad?
¡Pero si estamos de **vacaciones**!

Estoy hablando con las paredes, porque ella ya ha desaparecido.

MÁS TARDE

Antes de que yo tuviera tiempo de llamar a Protección de Menores para quejarme, Donna me había llevado al típico cuartucho que tienen todos los teatros...

LA SALA DE DESCANSO DE ACTORES

No sé porque se llama sala de descanso. Yo nunca he visto a alguien descansando ahí.

Aurora sacó esta foto con su cámara instantánea y luego ¡LA TIRÓ! (Yo la rescaté porque me pareció un documento importante)

Sin ventana

Vaso de plástico con restos de café. También tiene restos de pintalabios rojo ~~floresc~~ brillante en el borde.

olor a cigarri a pes del carte de Prohib fum

Aparte de los objetos asquerosos mencionadas, el cuarto también contenía a Aurora y Ofelia... y a los dos niños que había visto en la platea.

Donna ha escogido el sillón menos manchado de todos,

se ha aplastado en él y ha cogido una revista.

Bueno, chicos... Una hora de deberes de vacaciones y luego nos vamos de compras... ¿Os parece bien?

urora y Ofelia han refunfuñado.

l que les había estado pasando notas se ha
entado con ellas y ha sacado un libro, pero no lo
a abierto. Solo les ha dicho algo al oído y los tres
an empezado a partirse de risa.

El otro chico ha carraspeado.

Hola, me llamo Will.

Me ha gustado.

¿Qué estaba haciendo aquí?

Es mucho más guapo que en este dibujo (Lo he borrado 20 veces ya)

Este es Felix. Compartimos el papel de Hugo en la obra. ¿Ya conoces a las chicas?

Yo iba a contestar, pero Ofelia se me ha adelantado.

¡Sí, la mami de Polillita ya nos ha presentado!

Por lo visto, eso ha sido <u>extremadamente</u> gracioso.

Will no les ha hecho ni caso.

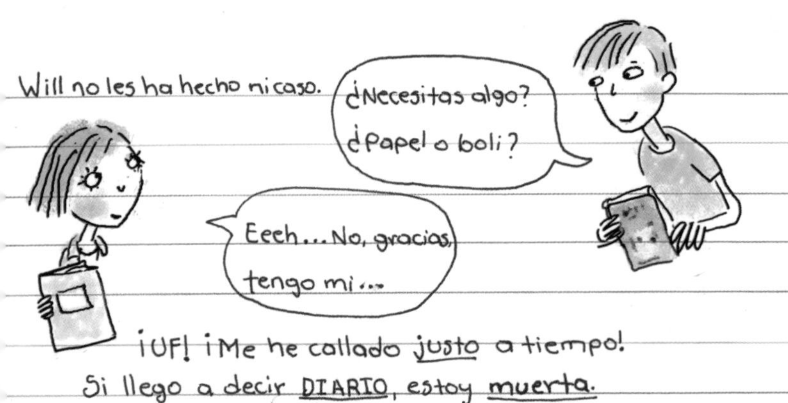

¿Necesitas algo? ¿Papel o boli?
Eeeh... No, gracias, tengo mi...

¡UF! ¡Me he callado <u>justo</u> a tiempo!
Si llego a decir <u>DIARIO</u>, estoy <u>muerta</u>.

Nos hemos sentado los dos en una mesa vieja y pegajosa. Él ha sacado un par de libros y ha empezado a leer. Yo he abierto el diario con mucho cuidado de que nadie lo pudiera leer y he conseguido escribir todo lo que ha pasado hoy con bastante tranquilidad.

WILL Will William will Will WILL WILL

Me gusta el nombre de **WILL**. Espero que sea el diminutivo de William William William

<u>TONTA</u> ¿En qué estaría yo pensando? Ahora tengo que correr a comprar tippex <u>INMEDIATAMENTE</u>

¡Por fin! Parece que ya nos vamos a mover. Donna acaba de dejar la revista y se ha levantado.

MAS TARDE

Todas hemos salido en pelotón a la calle. Hacía mucho sol.

Will me ha lanzado una mirada de ~~essap~~ desesperación y yo me he aguantado la risa.

¿Qué dices, Donna? ¿Vamos?
Tenemos que esperar a Ron.
¿Quién es Ron?
Ay, Aurora, seguro que has visto a Ron. ¡Es el que hace de muerto!
Para que lo sepas, Ron es el suplente de Daniel Hopkins en el papel principal, Ofelia.
ji
ji
← molesta
Da lo mismo. Nunca podrá hacer el papel, ¿no crees? Todo el mundo sabe que Daniel Hopkins sí tendría que estar muerto de verdad para perderse una representación.
JA JA
alaridos de risa
JA
JA
Los niños por lo menos nos turnamos.
Yo podría hacer de Sara todos los días... No sé por qué tenemos que estar las dos compartiendo el papel.
Los niños no podemos trabajar cada noche. ¡Es una ley! ¿No lo sabes?
¡UF! ¡Esto de dibujar cómics es una LATA!

Por suerte para los que no soportamos las discusiones tontas (o sea, YO), Ron ha llegado enseguida y ha cogido a Donna por los hombros. Aurora y Ofelia:

1. Silencio total (buen resultado)

... y después

2. Cuchicheos (no tan buen resultado pero mejor que una discusión)

Felices, sin darse cuenta de nada, Ron y Donna han empezado a cami hacia el centro comercial y todos los hemos seguido en fila.

El centro era **¡GIGANTESCO!**

Habría sacado millones de fotos si no me hubiera dejado el móvil en el hotel, pero bueno. Estaba tan ocupada mirando todo, que he tardado un rato en darme cuenta del lloriqueo de Aurora...

¡TENGO HAMBREEEEEEEE!

Tendría mucha hambre, pero es una tiquismiquis con la comida...

¡Puaj! ¡Yo aquí no como!

¡Ni allí!

¡Ni allí!

Hasta que al final, TODOS estábamos muertos de hambre.

El restaurante que ha aprobado el examen de la señorita Aurora estaba en el quinto piso (nada adecuado en los pisos 1 a 4). Pero hay que reconcer que este era INCREÍBLE de VERDAD.

Yo me he sentado muy alegre en este taburete.

Donna me ha bajado de un tirón.

Donna y Ron se han sentado el uno delante del otro y se han besado mucho.

Ofelia y Aurora se han sentado una al lado de la otra y se han reído mucho.

Felix y Will se han sentado a mi lado y han comido mucho.

... y estaban contándome unos chistes buenísimos... cuando

ha llegado la cuenta. Donna ha hecho una división y ha dicho que tocábamos a 9$ por persona.

Bueno. A mí se me había olvidado contar el momento en que mi madre me dio un fajo de billetes y me dijo: «Pásalo bien, cariño».

Se me había olvidado por una razón muy sencilla.

Nunca ocurrió.

O sea, yo no tenía un céntimo

De todas formas he rebuscado en los bolsillos de mis vaqueros, por si se producía un milagro. Mientras, los demás han ido pasando sus montoncitos de billetes a Donna.

Parecía que había suficiente dinero sobre la mesa. Se veía un montón. Pero Donna ha contado, y luego lo ha vuelto a contar.

Hay alguien que no ha pagado.

No sé porqué todas las miradas se han vuelto hacia mí.

Eeeeeh... Ejem... Lo siento... No... Es que no tengo...

Cuando dicen que América es LA TIERRA DE LAS OPORTUNIDADES ¡no quieren decir que la comida sea gratis!

JA JA JA

Se ve que a todos les ha parecido divertidísimo...

JA JA JA

Bueno, a casi todos.

No pasa nada, yo tengo para pagar lo de Poly. Ya está, Vámonos.

♥Will♥

Luego te lo devuelvo... ← susurro ronco

Tú pagas otro día lo mío y ya está

Mi héroe

Todos hemos salido del restaurante en pelotón.
Bueno, tenéis tres horas. No salgáis del centro comercial, ¿vale? Nos encontraremos aquí mismo a las 5.
¡Ven, Aurora! Vamos a ver los bolsos de Ginny Boo.
EMPUJÓN
¡Qué buena idea, Ofelia! Venga, Poly, ¡tú también!

¡Aurora y Ofelia estaban en el **paraíso de las pijas**!

Se han probado vestidos...
Ofelia, este es precioso... Pero creo que no es tu color... Mejor me lo pruebo ya.
Creo que te quedará pequeño, Aurora.

¡Parece que llevas la cena en la cabeza!
¡Y tú pareces el cartero de mi barrio!

WAX
GAME EMPO
¡Guau! ¡Qué tienda de videojuegos más grande! ¿Te vienes, Will?
Así que los chicos se separaron de las chicas.

... zapatos...
Fatal, Aurora. ¡Te hacen los tobillos gordos!

... y hasta joyas...
¡Es que me encantan los diamantes! Aurora... ¡mira! ¡Vestidos de noche de Orlando!

En Orlando todo brillaba, incluidas las dependientas, porque se les encendía una bombillita en los labios cada vez que Ofelia o Aurora levantaban una percha.
¡Dios mío! Este te quedaría estupendo, estoy segura. ¿Buscas algo para una ocasión especial?
Necesitaremos algo espectacular para nuestra noche de estreno
¡Qué ~~glamour glamure~~ divino!
¿Tú también actúas, preciosa?
No, yo... No...
Pestañas postizas muy abiertas que me miran de repente
Ah... Y entonces ¿tú qué eres?
¿Qué clase de persona hace preguntas como esta?
Lo que sí está claro es la clase de persona que responde...
No es nada... Solo ha venido con su mami... ¡Pffffff!

Las pestañas postizas se han vuelto enseguida hacia las "estrellas".
Chicas, tenéis que pasar a nuestra Suite... ¡Es el probador favorito de Zelda Rose!
¿Tú quieres probarte algo, querida?
lápiz de labios que me sonríe de repente
Eeeee... no, yo no.
Oye, que no hay que pagar para probarse, ¿sabes, Polilla?
¡Vete a la porra!
musitando entre dientes pero bastante alto
Aurora me ha lanzado un bufido y se ha largado hacía el
probador con Ofelia. Yo me he quedado libre para explorar por ahí.
Tengo que reconocer que la ropa era ALUCINANTE
Tan alucinante que no he mirado el
reloj hasta que visto a las dependientas
cerrar las puertas de la tienda...
caído de uno de los vestidos que Ofelia se ha llevado al probador
5:30

¡Oh, no! Habíamos quedado delante del restaurante del almuerzo ¡hacía media hora! Corrí hacía los probadores...
¡Ofelia! ¡Aurora! ¡Llegamos tarde
N-n-no puede ser. Si íbamos juntas.
Bajé tres escaleras mecánicas...
...Después subí dos...
...y ya me estaba empezando a entrar el PÁNICO...
... cuando me llegó un olor a

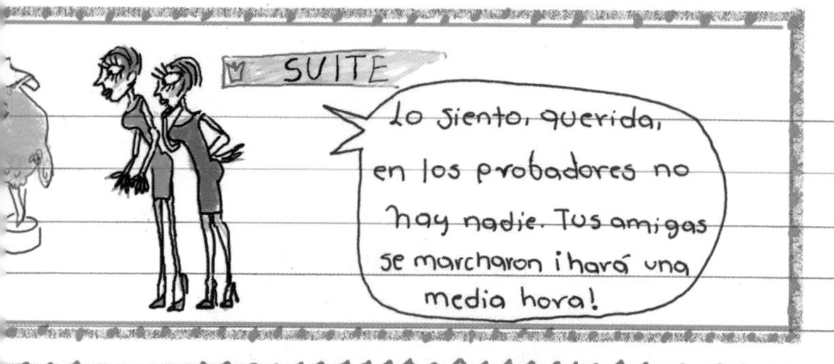

Corrí como loca hacía las escaleras mecánicas tratando de calcular en qué piso estaba yo y en qué piso estaba el restaurante. No me acordaba ni de lo uno ni de lo otro.

No he tardado mucho en hacerme una idea bastante exacta de la situación...

LONDRES
8000
Kilómetros

AAAAAAAAAHHHH

sin teléfono

CALLE PÁNICO

PASEO NIÑA SOLA

ni idea de cómo se llama el hotel...

AVENIDA DE NINGUNA PARTE

ni el teatro

sin dinero

SÁQUENME DE AQUÍ

CALLE DESESPERADA

sin mapa

Sin ningún plan

Completamente sola

Me he apoyado en la ventana del restaurante y he cerrado los ojos porque me ha parecido que eso me ayudaría a no llorar, pero las lágrimas han encontrado por donde escapar de todas formas. Mi único consuelo era que no ~~abrío~~ había nadie cerca para verme...

CORRECCIÓN...
¿Poly?
¿Will?
Susurro lloroso
Me ha dado un kleenex.
¿Dónde están los demás?
Han vuelto al teatro
¿Sin mí?
boca abierta en actitud coqueta
Aurora y Ofelia han dicho que te estabas aburriendo y te habías ido... pero yo no me lo he terminado de creer, así que he vuelto a escondidas, por si acaso.
Muchas gracias...
WILL
De nada, no te preocupes... Estoy acostumbrado a cuidar de mi hermana pequeña.
PLOF

Cuando hemos llegado al teatro
se estaba haciendo tarde...

Pero después he escuchado una voz muy familiar
que resonaba por toda la sala...

QUE HAS HECHO ¿QUÉ?

¡Uf! ¡Menos mal! Todavía estaban ensayando... y nadie
me había echado de menos... ¡QUÉ ALIVIO! Porque mi
madre tiene una ligera tendencia a ponerse histérica...

¿ME ESTÁS DICIENDO QUE HAS DEJADO
A MI NIÑA SOLA EN MEDIO DE ESTA
CIUDAD INFESTADA DE CRIMINALES? jadeo
¡QUE ALGUIEN ME DIGA QUE NO HE DEJADO
LA VIDA DE MI HIJA EN MANOS
DE ESTA IDIOTA INÚTIL! ¡QUE ALGUIEN
LLAME A LA POLICÍA! ¡AL EJÉRCITO!
¡A LOS BOMBEROS!

Solo con ver la cara de terror de Will
se han confirmado mis sospechas...
Aquello que estábamos escuchando
no era el texto de la obra.

Vamos, Pol, será mejor que
pongamos fin a su tormento.

EL ESCENARIO AL QUE NOS ENFRENTÁBAMOS
actor
ratrando
de escapar
ngiendo que
ale en busca de
a niña desparecida
¡QUE ALGUIEN TRAIGA A MI HIJA!
Nigel tratando de descifrar cómo funciona un móvil
nna
ntando
oner
va de
ofunda
flicción
ayudante de montaje escabulléndose
Tranquilo todo el mundo. Poly ya está aquí, sana y salva.

Pero claro, pedir que la cosa terminara ahí era demasiado pedir...

Después del obligatorio abrazo emotivo, mojado y estrujador, tenía que venir irremediablemente un

PROFUNDO INTERROGATORIO

Mamá no quería saber la versión REAL de los hechos (la mía o la de Will).

Ella quería

para DONNA

Nigel, las vidas de nuestros pequeños no tienen precio. No podemos de ninguna manera dejarlas en manos de este fantoche, fracaso del buen gusto.

Arabella, cielo, no podemos despedir a alguien así como así. Tenemos muchos compromisos adquiridos... y además, en realidad, a efectos legales, el trabajo de Donna empieza y termina con los... ejem... los... actores infantiles.

Gran error táctico, Nigel...

¿Me estás diciendo que la vida de MI niña vale menos que la de estas consentidas precoces que actúan en la obra?

Pues cla-cla-claro que no, amor mío

Pues mira, estoy pensando que quizás yo también valga menos que ellas... ¡Quizás te sería mucho más fácil a efectos legales dirigir esta obra sin Arabella Diamonte en el papel principal! (sollozo desgarrador)

Arabella, cariño...
gran abrazo teatral
Sabes muy bien que la obra depende enteramente de tu magistral interpretación...

mirada aduladora
Creo que todos estamos un poco cansados y alterados, eso es todo...

voz calmada pero firme
Y creo que deberíamos discutir todo esto por la mañana, cuando estemos más descansados.

Pero mi madre no estaba nada calmada.

Ven, Hipólita.
¡Vayámonos de aquí!

Hoy olvidé bajar el diario y en recepción me han dado este papel tan guay.

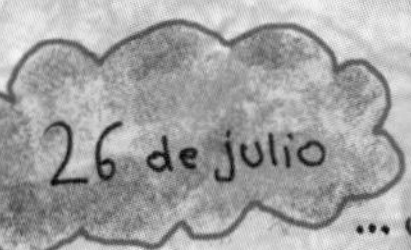

La mañana siguiente

... y NO, yo no me siento nada mejor.

Palace Park
Hotel
532 Posh St. San Francisco
CA 9310 Tel. 533.1303

El hambre me ha obligado a bajar a desayunar, pero me he puesto detrás de la puerta para espiar quién estaba allí.

BUENAS NOTICIAS: Parece que no están ni las chicas ni Doma.

MALAS NOTICIAS: Mamá está ahí... con Nigel.

Así que voy a tener que disimular por aquí fuera hasta que ella... ¡VAYA!... Me está llamando.

¡Hipólita, cariño, estoy aquí! Tienes que probar las tortitas ... ¡Están divinas!

¡HUY! un poco de sirope

Y empiezo a entender. La verdad es que el plato casi consigue distraerme de la conversación.

Casi.

No, tienes razón, Nigel, cielo. La pobrecita Donna tiene que quedarse, claro que sí. ¡No quiero ni oír hablar de que se marche!
¡¡¡??

SEGURO que no he oído bien

Ya veo que a Poly no le pasó nada.
Seguro que se extravió solita.
Siempre está pensando en las musarañas.
¡Qué susto se ~~ser~~ debió llevar la
Pobre Donna, tan cariñosa ella!
¿Sabes qué te digo, Nigel?
Voy a mandarle a Donna unas flores.
Unos lirios serían ideales...

¡Mi madre está sufriendo algún tipo de ataque!
Tengo que hacer algo.

Mami, ¿me escuchas?
¿Quie-res que lla-me a un mé-di-co?

Poly, ¡deja de montar un espectáculo y siéntate! ¿Qué es lo que te pasa, si se puede saber?

Me quedo mas tranquila. Esa sí es mi madre. Me siento y la espío por el rabillo del ojo con ~~precauzi~~ precaución. Nigel rompe su silencio.

¿No estás orgullosa de lo comprensiva que es tu madre, Poly? Ya sabía yo que su gran corazón superaría toda la angustia de ayer por la noche...

¿Gran corazón?
¿Comprensiva? ¿¿¿Mi madre???
No entiendo nada.

¡Es fantástico poder ofrecer tanto cariño a la sobrina adorada de Leticia Milton!

¿Leticia Milton? ¿Y esa quién es?

confundida

¡Cariño! ¡Si ya lo sabes! ¡La célebre y famosa Leticia Milton!

? ? ?

más confundida todavía. Ni idea.

De verdad, Hipólita, a veces me pregunto si en el hospital no te cambiaron por la hija de alguna estúpida ignorante...

Leticia Milton, la tía de Donna, es ¡la crítica de teatro más influyente de Hollywood! ¡Y ha pedido entradas para el estreno! ¿Tú tienes idea de lo que puede significar una crítica de Leticia Milton?

mirada perdida hacia el horizonte

Bueno, será mejor que me vaya a encargar los lirios.

Venga, Polillita-Perlita, alegra es cara. Nos vamos para el teatro en diez minutos.

¿cómo voy a ser NORMAL de mayor si mi madre me llama así?

Palace Park Hotel
532 Posh St. San Francisco
CA 9310 | Tel. 533.1303

UNA HORA MÁS TARDE

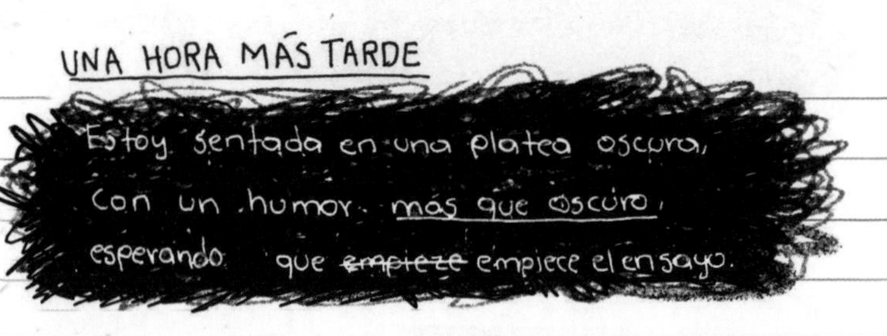

Estoy sentada en una platea oscura,
con un humor más que oscuro,
esperando que ~~empieze~~ empiece el ensayo.

Por suerte, me las he arreglado para agazaparme en una butaca sin que nadie me viera.

PERO ¿CUÁNTO TIEMPO DURARÁ ESTA TRANQUILIDAD?

sin Donna, sin las estrellitas, sin mi comprensiva madre de gran corazón.

Finalmente se levanta el telón...

DOS HORAS DESPUÉS MAS O MENOS (las 12:30 h)

¡Guau! He visto Desconsuelo un montón de veces. Prácticamente me la sé de memoria, porque me he pasado horas estudiando el papel con mamá... pero la verdad es que hoy les ha salido superbién.

OFELIA
(en el papel de Sara)

Y lo más raro es que ahora se me hace difícil odiar a Ofelia porque estaba tan distinta en el escenario... tan perdida y tan ~~bulne~~ vulnerable.

peluc
sin a
de me

vest
de
harc

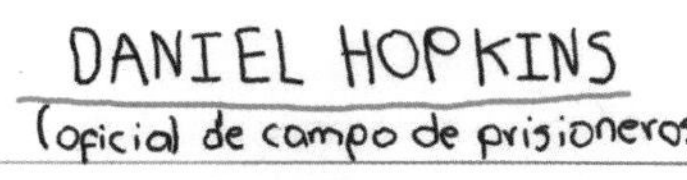

Daniel Hopkins hace el papel de un cruel oficial de campo de prisioneros sin ninguna consideración por la vida humana... (especialmente por la de Ron)

~~WILL~~
(Hugo)

Nill hace de hermano
le Ofelia, el héroe que
onsigue escapar con ella
e las garras del terrible
)aniel Hopkins y
ncontrar a su madre.
divináis quién hace este papel?)

Nill ha estado <u>¡GENIAL!</u>

engo que ir a
elicitarte a todos.

peluca (¡pareció de verdad!)
¡tiene que estar muy fuerte!

UN POCO MÁS TARDE

Salí corriendo por el pasillo y abrí la puerta del primer camerino que encontré. ERROR.

¿Qué haces tú aquí? Viene a meternos en otro lío ¿no?
CAMERINO 8
ja ja ja
Aurora partiéndose de risa.
Yo, sin saber qué hacer, deseando que se me ocurriera una respuesta inteligente pero fulminante.

Me he tenido que conformar con un balbuceo atrofiado, pero por lo menos he conseguido dar media vuelta y marcharme.

Iba por la mitad del pasillo cuando he oído pasos
detrás de mí. Pero no pensaba girarme
¡Poly, espera!
Esa no era la voz de Ofelia.
¿Will?
¿Qué pasa?
¿No te ha gustado el ensayo?
No... eeeeh...
¡No! Quiero decir, sí,
Will, estuvo... eeeh...
¿Qué le pasa a mi boca hoy?
Lo mejor que me salió fue:
Es... Tú... Ha estado...
eeeeh muy bien.

Por suerte, me ha parecido que Will no se daba cuenta de que yo había perdido la facultad del habla.

Me han dicho que tu madre ha cambiado de idea y ya no va a dejarnos...

Yo he decidido no aventurarme más allá de un monosílabo

Sí

Pues me alegro de que no os marchéis...

¡le gusto!

¡Su suplente es malísima!

¡no le gusto!

Es broma. Poly. Me gusta que te quedes. Necesitamos a alguien normal por aquí.

¿le gusto?

hmmm

¡Sobre todo mañana!
¿Qué pasa mañana?
Pues nada, la lista del reparto para el estreno...
yo, tratando de disimular que no tenía ni idea (sin conseguirlo)
La decisión final del director sobre cuáles de los niños actuamos en el estreno... que es la función a la que vienen todos los periodistas.
Ah, claro
¡oh, NO!!! será un...
BAÑO DE SANGRE

Will,
¿vienes o no?
sombras siniestras al final del pasillo
yo intentando disfrazarme de pared
Ah, sí, es que vamos a comer un bocadillo al bar de enfrente. ¿Vienes?
Ejem... ¡Creo que no!
Pues ¿te traigo algo?
Es que todavía te debo lo de la comida de ayer.
Me lo devuelves cuando tengas dinero. Piensa que yo gano un sueldo, así que estoy forrado. ¿Qué te gusta?
¡Me gusta todo!

ueno, ahora que Will se ha ido, tengo que reconocer

ue hay <u>un par</u> de cositas que no me gustan:

eitunas — No sé cómo la gente se las puede comer

eso de cabra — huele demasiado para ponerlo en un plato, por no hablar de una boca

até de pescado — puaj

panada de pescado — puaj

rry de pescado — puaj

amburguesa de pescado — En fin... todo lo que tenga pescado

asglada de col — ¿a quién se le ocurrió semejante estupidez?

plátanos — a los diez minutos de llevarlos en la mochila

bollas en vinagre — ¡puaj!

col — ajjjj

pan con cositas

carne con grumos

caparras — ¿quién las inventó?

hampiñones — igual que comer babosas

~~agoacte~~ aguacate — igual que comer babosas

AAAAAAA! ¿Qué voy a hacer cuando Will

elva con algo que no puedo comer?

MÁS TARDE

La buena noticia

En la bolsa de papel que me trajo Will...

había una

ROSCA DE PAN CON HUEVO DURO

¡ni un champiñón ni un poco de cebolla en vinagre a la vista!

La mala noticia

Yo estaba en la gloria, sentada al lado de Will, comiendo alegremente mi bocadillo de huevo duro cuando...

¡Cariño, te he estado buscando por TODAS PARTES! Pensaba que te encontraría con esas chicas tan simpáticas, Azalea y Orégano.

Cuando nos vio a los dos, cerró la boca de golpe y se nos quedó mirando desde arriba.

Durante el instante de silencio, me he preparado para lo peor. Estaba segura de que mi madre iba a decir algo horrible.

Algo tipo...

Will, ¿qué te parece? ¡Mi Polillita se ha enamorado de ti!

O...

Hipolita, ¡Te prohibo que te sientes con un chico hasta que tengas ventiún años!

Pero lo que dijo fue:

¡Poly! Estás comiendo pan BLANCO! ¿Cuántas veces tengo que hablarte de las ventajas del pan integral? Warren, sabías que el pan integral aligera los intestinos...

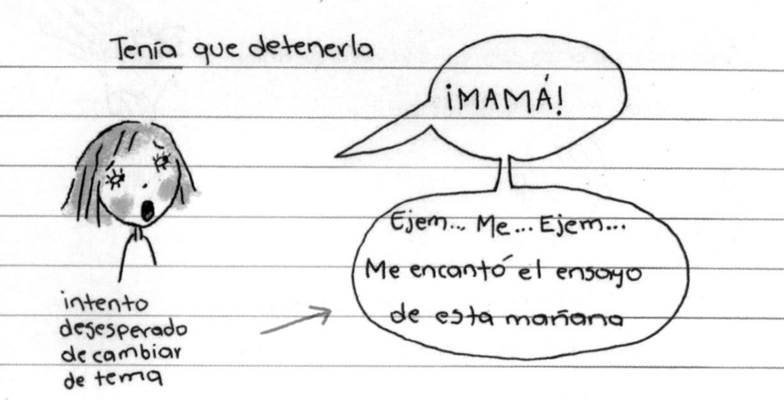

Tenía que detenerla
¡MAMÁ!
Ejem... Me... Ejem...
Me encantó el ensayo de esta mañana
intento desesperado de cambiar de tema

¿De verdad, cariño? Lástima que se apagaran las luces durante la romántica escena de amor.

¡¡¡MISIÓN CUMPLIDA!!!

Bueno, a mí me ha parecido muy bien, o sea que imagínate lo bien que va a quedar cuando funcionen los focos.

¡Eres un encanto, Soly!

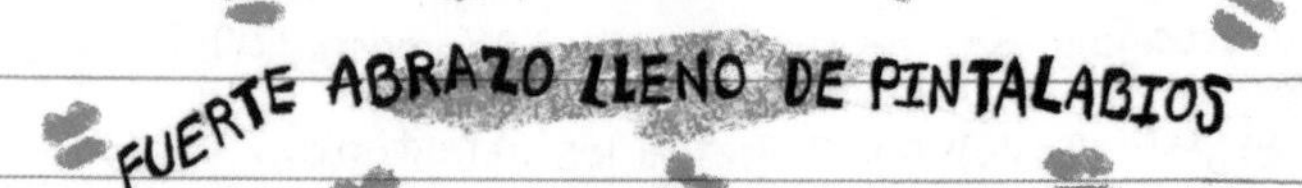

¿Vas a venir al ensayo de la tarde?

Supongo

No sabía que tuviera elección.

¡Oh Polillita-chiquita! Me encanta que muestres tanto interés. A ver si va a resultar que ese caparazón oculta insólitamente toda una dama del espectáculo!
Nos vemos más tarde, cariño...
Walter, será mejor que vayas a cambiarte. Empezamos a las dos.

Creo que eso significa actriz en la lengua de mi madre, así que rezo para que no se esconda ninguna bajo mi caparazón insólito!

Yo solo salgo en un par de escenas... ¿Vienes a esperar conmigo en la sala de descanso?

Yo no sabría qué hacer...

ir con Will (y arriesgarme a encontrarme con las niñas consentidas)

o

quedarme sola aquí

¿A quién pretendo engañar?

LA SALA DE DESCANSO DE LOS ACTORES

Aurora con peluca

¡Will! ¿Por qué la traes aquí? ¿No ves que no hará más que estorbar?

Por suerte, a los tres segundos, Felix y Aurora entraban en escena y me han dejado con Will, Donna y Ofelia, que estaba ~~rebot~~ revolviendo en las bolsas de ropa que se compró ayer.

¿Qué te parece, Will? Como no conseguía decidirme, ¡me quedé con los dos! ¡La dependienta no se creía que solo tengo trece años! Decía que estaba tan elegante... Es verdad que tengo figura de mujer. ¿No crees, Will? ¿Cuál te gusta más? ¿El de tafetán rojo o el de seda ~~turk~~ turquesa?

¿Y no deberías haber esperado a saber si actuarás tú o Aurora en el estreno, antes de gastarte el dinero en todo esto?

Will me dio este papel porque me he dejado el diario en la plat

Ah, mi agente me dice que
Nigel está muy impresionado con mi
interpretación, así que seguro que actúo
yo. Pero no se lo digas a Aurora. Se
llevaría una decepción. De todas formas,
todos estamos invitados a la fiesta del
estreno, tanto si actuamos como si no,
así que tengo que estar guapa.
Convencí a Aurora para que se comprara
un vestido de terciopelo verde. También
le gustaba el de tafetán, pero la
hacía gorda y como buena amiga,
se lo tuve que decir.

Huy, ejem,
¡hola Aurora!

Ofelia, te llaman a
escena. Quieren que
hagas otra vez la
escena del túnel...

¡Pero si la hice
esta mañana!

Nigel ha cambiado algo... No me preguntes qué.
¡Es un pesado! Me dijo que me quería en un
HISTERISMO SILENCIOSO. Le he dicho que nadie puede
estar histérico en silencio! En lugar de pedirme
perdón, ¡me manda a buscarte a ti para que lo
intentes!
Ah, te has estado probando los vestidos nuevos...

¿Me llaman a escena ahora?

¿Con el vestido?

¡Huy! Perdona que me cambie aquí, Will. ¡No tengo tiempo para el recato!

Aurora ha ~~h~~echado el ojo al vestido de tafetán rojo que ha quedado en el suelo...

Yo creo que este vestido me quedaba mucho mejor a mí que a Ofelia, pero se puso tan terca que tuve que dejárselo.

Lo ha recogido del suelo y se lo ha sujetado sobre el pecho.

Will, ¿no te parece que el color me favorece mucho más a mí que a ella? ¿Me lo pongo para que lo veas? Sí.

La verdad ~~para~~ es que sí le quedaba bien. Ni la hacía gorda ni nada...
Si se hubiera dignado a pedirme mi opinión, se lo habría dicho.

ro q ella le importaba un rábano mi opinión.
Bueno, Will. ¿Qué te parece? Mi profesora de ballet dice que parezco un ángel.
Ha hecho lo que ha podido para demostrarlo.
Y yo he hecho todo lo que he podido para poner cara de palo.
Ojalá pudiéramos
ailar en la obra.
ero supongo que
s demasiado
rágica para
bailar...
Aunque quizás podríamos cantar en algún momento, ¿no? El canto es mi primer amor.
Ni idea de cómo escribir este nombre
Mi profesor de canto, Yusepe Yiliani le dijo a mi madre que yo podía llegar a ser una estrella.
Te canto una de mis piezas favoritos, ¿vale?

Y sin esperar respuesta...
Oscuridad
¿Dónde esta la luz de la luna?
Guíame lejos de aquí
lejos de esta noche negra
llévame de aquííííííí
El recital ha continuado, cada vez con más gorgoritos, hasta que al final la cabeza me estallaba.
Ejem... Extraordinario, Aurora, extraordinario.
¡Gracias, Will! ¿Sabes qué? Creo que la canción del amor musical "Ángeles" me sale mejor todavía.
Seguro que sí, Aurora, pero ¿no deberías dejar que tu voz descanse? El estreno es pasado mañana.

¡Pero si cantar me conviene! La voz necesita mucho ejercicio. Primero voy a repasar las notas más altas una vez...

¡AURORA!!!!!!!
¿Por qué te has puesto mi vestido?

Por un instante hasta me dio pena Aurora... Pero se me pasó enseguida.

Pues porque ¿sabes qué te digo, Ofelia? Que este vestido debería ser mío. Yo me lo ~~probé~~ probé primero. Y Will dice que me sienta mejor a mí que a ti, ¿ah que sí, Will?

¡Will! ¿Cómo te <u>atreves</u>? Aurora, ¡quítate este vestido ahora mismo o te retiro la palabra para siempre!

Ofelia se volvió hacia mí.
¡Y tú no pongas caras raras! ¡Seguro que le has dicho a esa que se ponga mi vestido! ¿Ah que sí?
solo estaba allí sentada, sin meterme con nadie (escribier este diar
¡SEGURO!
Ofelia, ¡no seas ridícula!
Y además, no sé ~~porque~~ por qué estás aquí todavía. Will... ¡Nigel te ha llamado a escena hace cinco minutos!
¡Pero si nadie me ha avisado!
Te estoy avisando yo.

Will ha salido disparado y yo tras él, a una milésima de segundo. ¡No iba a quedarme allí sola! Total, que me he pasado el resto de la tarde escondida en la platea, viendo partes del ensayo y escribiendo esto cuando había un poco de luz, cosa que no ha sido *nada* fácil.

igel acaba de dar unas palmadas para llamar a

odos los actores.

Fantástico, queridos. Un día muy bueno.
ñana a primera hora colgaré la
ta del reparto para el estreno, que
a sé que es motivo de especial emoción
para los miembros más jóvenes
de la compañía...

noción? Yo diría más que eso, Nigel...

nque estoy seguro de que sois todos lo
nte inteligentes como para no llevaros una decepción...

ero en qué planeta vive ese hombre?

ya sabéis que mi decisión no tiene
nada que ver con vuestro talento...

Sí, ¡ya!

¡Cualquiera de los cuatro lo
haría estupendamente!

gran sonrisa falsa

Después de eso haremos el ensayo general
y luego una ¡FIESTA en la playa! Donna, Ron
y Daniel, que son tres encantos, se han ofrecido
para preparar la comida y los juegos, así que
los demás no tenemos mas que ponernos
algo cómodo y presentarnos allí.

27 de julio. La mañana siguiente

Solo a un loco se le ocurriría estar cerca del teatro cuando aparezca la famosa lista del reparto. Y yo no estoy loca.

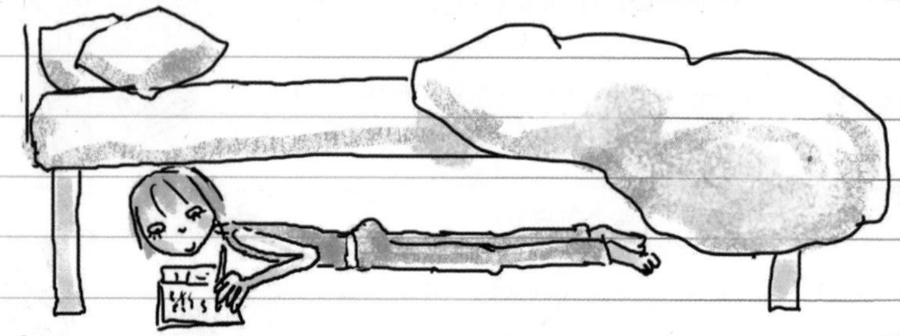

Bueno, tampoco es que aquí debajo de la cama parezca cuerda del todo, pero yo tengo que evitar que me descubra una que yo me sé... ¡VAYA

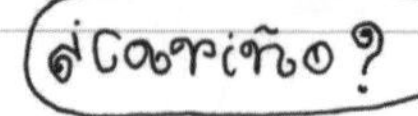

¿Cariño?

POR POCO...

Hipólita, te vas a estropear la vista escribiendo a oscuras. Venga, sal de aquí, que vamos a llegar tarde.

EN EL TEATRO a los tres segundos de llegar

Por suerte, las chicas no se estaban matando...

porque Will y Felix se lo estaban impidiendo ~~eroi~~ heroicamente

¡Mira! ¡Tengo testigos! Todos sabéis que canto mejor que ella. Ella canta como una gata en celo. Y mi profesora de ballet le dijo a...
Menos mal que ha llegado Nigel.
Donna, **cielo**, hazme un inmenso favor y llévate a Aurora y a Felix a esa heladería tan divina que hay en la plaza de la Unión. Quiero oíros decir que habéis probado lo más y mejor de la ciudad...

Venga, Aurora, ¡cállate ya! Todos sabemos de sobra lo que la profesora de ballet le dijo a tu madre... Yo no tengo la culpa si el director sabe reconocer a una verdadera estrella. y no sé por qué la tomas conmigo... ¿Tú ves que Felix se meta con Will? Pues no. Acepta que Will es el mejor para el papel y ya está... ¡Y mira lo que me has hecho en el brazo! Voy a llamar a mi madre (sollozo) y a mi agente (lloriqueo)...
Tengo que reconocer que esto ha sido bastante hábil, pero yo creo que tener a Aurora y Ofelia separadas toda la mañana no habrá puesto fin a la situación. Porque vamos a ver: si alguien envolviera el Monte Vesuvio con papel film, ¿se sentiría la gente más segura? ¡ME PARECE QUE NO! Especialmente los que viven en Pompeya.
prueba bastante increíble de que escuché por lo menos en una clase de historia.

DESPUÉS DEL ENSAYO

No es ningún placer informar que yo tenía razón.
El volcán no se ha apagado.

Ya empiezo a arrepentirme un poquitín de haber empezado con esto del volcán.

Ofelia y Aurora se han fulminado con la mirada nada más subir al autocar y han empezado inmediatamente a...

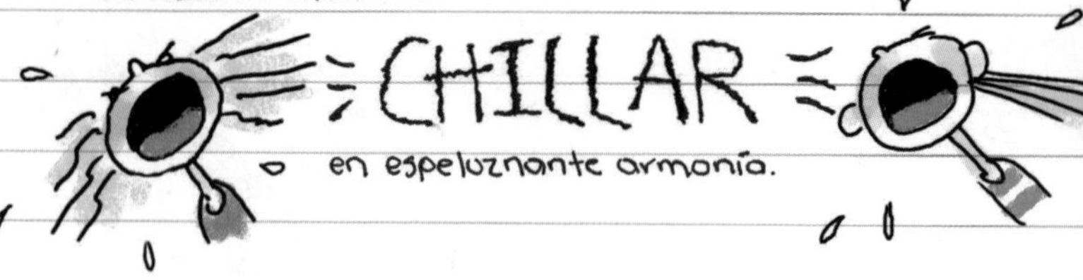

Y nada conseguía distraerlas.

¿Qué le dice el chinche a la chinche? ¡Te amo chincheramente! Ja, ja

AULLIDO

Vamos a la playa, oh oh oh oh oh oh

GEMIDO

¡Si no se callan, las voy a demandar!

No lo puedo creer. El autocar <u>¡HA PARADO!</u> ¡Se están abriendo las puertas! Voy a salir antes de que me explote la cabeza.

OBSERVACIÓN INTERESANTE

Por terrorífico que sea el ruido que hacen dos niñas dementes chillando, una vez que consigues sacarlas de un autocar y dejarlas en una playa, el ruido se diluye, llevado por la brisa sin ningun esfuerzo.

Hace una tarde preciosa y el cielo es de un azul intenso. Felix, Will y yo hemos estado ayudando a Donna, Ron y Daniel a tender los manteles y poner la comida.

Tengo que dejar de escribir y sacar algunas fotos con el móvil. ¡Felix y Will estan intentando convencer a una gaviota para que recoja los palos que le lanzan!

¡Will se ha rendido!

gaviota ignorando a felix

EL PICNIC (en la playa)
Ofelia se ha dejado caer entre Will y yo
Estoy esoy exhausto despué de tanto ensayo... Con tantos cambios... por no hablar de los nervios de saber que mañana te que hacer de Sara delante todos los periodistas y todos los famosos.
EMPUJÓN
¡Qué asco! ¡Está turbia y tiene cosas!
Son los limones.
¡Puaj! ¡Limones! Pues no puedo beber eso. ¡Soy superalérgica a la fruta!
¿Alérgica a la fruta?

¡Típico de ti, Ofelia! ¡Eres la única persona capaz de presumir y lloriquear en una misma frase! Eres una...
Ya basta, Aurora. Toma ¿por qué no pruebas esta limonada casera americana?
¡QUIERO COCA-COLA!
¡Aurora! ¡Cállate ya! Me estás dando dolor de cabeza...
...además de la INSOLACIÓN que ya tengo
...y ¡HORROR! ¡MOSQUITOS! ¡Soy superalérgica!

¡Ayyyy! ¡Socorro!
Tesoro, si tanto te molestan el ruido, el calor y los mosquitos, ¿por qué no te vas al autocar y esperas allí? Te puedes llevar tus bocadillos...
¿Qué? ¿Al autocar? ¿Sola? ¿Estás de broma? A menos que...

Will, seguro que tienes la piel muy delicada. Deberías venir al autocar conmigo... Will... ¿Will?
No te preocupes, Ofelia, estoy bien aquí, gracias.

Por un ESPLÉNDIDO Y MARAVILLOSO instante,
Ofelia se quedó
sin palabras

Pero la tranquilidad no duró mucho...

¡Aaaaaaj!
¡Mirad lo que me ha hecho!
¡Venga, ya, chicas, dejadlo!

Aurora nos volvió la espalda a todos y Ofelia salió corriendo hacia el agua.

Después, Daniel Hopkins (que según descubrí, no se parece en nada a un oficial de la Gestapo) intentó animar la fiesta bailando entre los manteles y lanzando...

...chocolatinas
y caramelos
Pedazos auténticos de papel de caramelo

Todos nos hemos abalanzado sobre ellos.
Me he visto OBLIGADA a comerme todo esto por el diario
BLISS
Delight
CRUNCHY NUT CLUSTERS
Todos, menos Aurora.
Hasta Ofelia (ya bañada en agua de mar en lugar de mayonesa) se ha apuntado a la fiesta, así que todos nos hemos empezado a calmar un poco.
CRONCH
GRAN ERROR...
Mmmm, ¡qué bueno está el chocolate americano! Y qué suerte tengo de poder comer todo lo que quiera sin engordar un gramo...
El comentario aumentó la temperatura del ambiente hasta
EXPLOSIÓN
INSOPORTABLE
VERGONZOSO
INCÓMODO
TENSO
NORMAL
Menos mal que ha intervenido Nigel, el director...
¡ES HORA DE JUGAR AL ESCONDITE!

Todo andaba bastante bien hasta que le tocó contar a Aurora. Contó hasta 100, abrió los ojos, arrastró los pies por aquí y por allá durante un par de minutos y, de repente, empezó a chillar...

ntras Aurora terminaba de engullir toda la coca-cola, Daniel ha
ado una caja y se nos ha acercado...

De eso nada. Con Will voy yo, porque nosotros actuamos juntos en el estre...
¡Si volvéis a discutir, me como el conejo!
SILENCIO
Vale. Estas son las reglas...
Yo me he vuelto a sentar y me he puesto a escribi
en mi diario tranquilamente.
Solo interrumpida por algunos comentarios tontos de gente como Ron
Poly, ¿no nos estarás espiando para una revista del corazón? ¡Nos meterías en un buen lío!
Por supuesto que entre escribir e ignorar a Ron he
estado observando de reojo la búsqueda del tesoro.

Will y Aurora

Los dos equipos tienen diferentes pistas, así que es difícil saber quién va ganando...

...pero Felix y Ofelia parecen atascados...

uy, huy, huy, Ofelia ya e está gritando a Daniel:

¡No hay DERECHO! ¡Les has dado las pistas más fáciles a propósito! Y además me ha tocado con Felix que no sabe nada de nada. Ya he tenido bastante. Me voy con el otro equipo.

No me lo puedo creer.

Se va corriendo de verdad hacia los otros dos...

y Felix se queda

BOQUIABIERTO

Will y Aurora están justo en el otro extremo de la playa... Ofelia esta a punto de alcanzarlos. Pero... ya no corre... Ahora está...

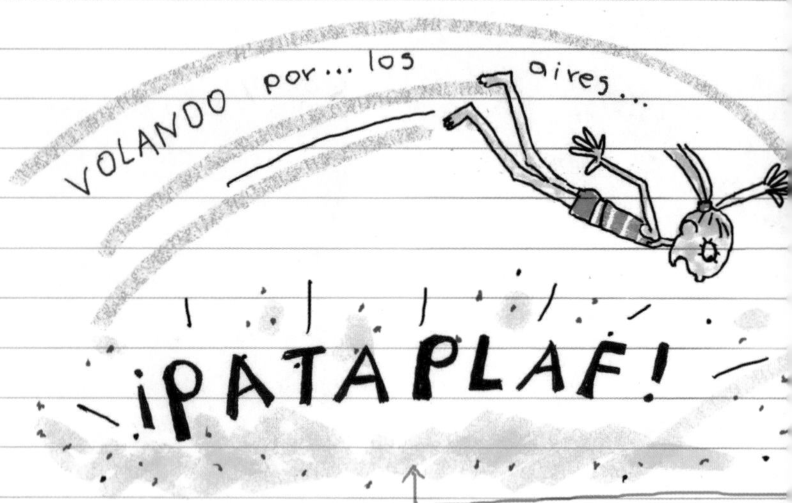
VOLANDO por... los aires...
¡PATAPLAF!

Así sonó el batacazo...,
seguido ~~immed~~ inmediatamente de un...

AULLIDO

que helaba la sangre. Ahora todo el mundo corre, hasta

ÁS TARDE (en el autocar que nos lleva al hotel)

o ha sido tan dramático que no he tenido tiempo de escribir
sta ahora. A ver, ¿por dónde iba? Ah, sí. Ofelia en la arena,
bozada en algas, ~~auy~~ aullando. Nigel fue el primero
n llegar a la escena.

A ver, amor mío,
¿dónde te duele?

juzgar por el color y
tamaño de la nariz
Ofelia, una pregunta
astante estúpida.

e sale saggre?

No, preciosa, pero tienes unos cuantos
moratones. ¿Crees que puedes levantarte?

AAAAAUUU!
tobillo!
duele
cho! ¡Me
e r-r-roto!
Está bien, no te preocupes. Ron, Daniel, ¿podéis llevar a la herida hasta la carretera mientras llamo a un taxi? Ofelia, te van a sacar unas radiografías y te van a curar en un plis-plás, ya verás.

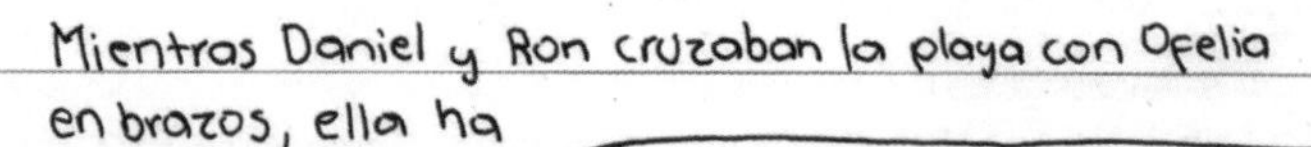

Mientras Daniel y Ron cruzaban la playa con Ofelia en brazos, ella ha descubierto el conejo de chocolate.

Pero, Will, si ahora me voy al hospital... (lloriqueo) tú vas a ganar el conejo... y no es justo, porque justo ahora yo iba a hacerme de tu e-e-equipo.

Will boquiabierto
Vale Ofelia, te puedes llevar el conejo...

Se acercó muy decidido al conejo, lo cogió y se lo dio a Ofelia.

¡Will! ¡Este conejo no es tuyo para que se lo regales a nadie! Estás en un equipo, ¿sabes? ¿Por qué se lo tiene que quedar ella?

Pero Ofelia no soltó el conejo y se lo llevó en taxi al hospital...

¿Cómo puede ser que Aurora te dispute el conejo a alguien que esta sufriendo tanto dolor?

Cuando el taxi se marchó, Aurora estaba que <u>trinaba</u>.

Aquí a nadie le importan mis sentimientos. Todo es Ofelia, Ofelia, Ofelia. Primero le dais <u>mi</u> papel, después <u>mi</u> conejo de chocolate! y a mí me hacía muchísima ilusión. El chocolate va muy bien para la depresión. pero aquí nadie se entera de lo deprimida que he estado <u>todo</u> el día porque solo le prestáis atención a Ofel...

¿Por qué no te comportas como una persona <u>adulta</u>?

Aurora ha cerrado la boca de golpe. Los demás nos hemos quedado mirando, mudos de sorpresa.

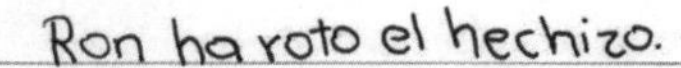

Ron ha roto el hechizo.

¡Eh! ¡Me sé un juego de playa superdivertido!

La sugerencia ha tenido <u>muy</u> buena aceptación...

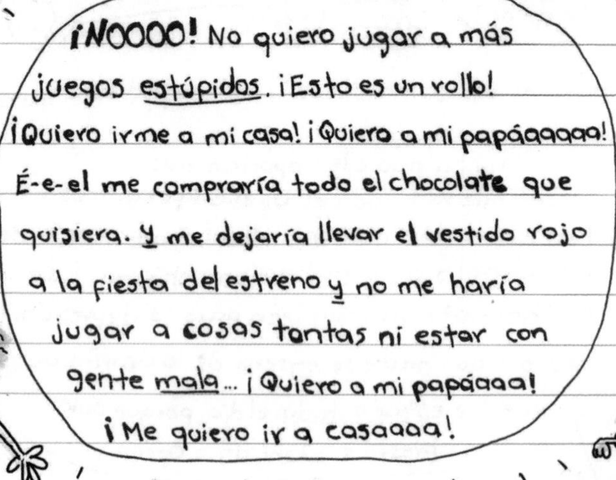

¡NOOOO! No quiero jugar a más juegos <u>estúpidos</u>. ¡Esto es un rollo! ¡Quiero irme a mi casa! ¡Quiero a mi papáaaaaa! É-e-el me compraría todo el chocolate que quisiera. <u>Y</u> me dejaría llevar el vestido rojo a la fiesta del estreno <u>y</u> no me haría jugar a cosas tontas ni estar con gente <u>mala</u>... ¡Quiero a mi papáaaa! ¡Me quiero ir a casaaaa!

Por favor... ¡Esta niña me levanta dolor de cabeza!

Por primera vez <u>en su vida</u>, mi madre <u>no</u> estaba ~~es~~exagerando. El volumen era <u>INSOPORTABLE</u>. Por eso todos estuvimos de acuerdo en que por hoy ya teníamos bastante y que era hora de irse.

DE VUELTA EN EL HOTEL

En cuanto hemos llegado aquí, la mayoría de la compañía (básicamente todos los adultos) se ha esfumado.

BRRRRUM
¡PAPÁ!
Voy a echarme un rato

Por desgracia, Aurora no ha desaparecido. Ha cruzado el hall dando grandes zancadas y se ha desplomado en un sillón de la recepción. Donna estaba en el hospital con Ofelia y no podíamos dejar a Aurora sola... ¿verdad que no?

¡Quiero irme a mi casa!

Al final, Felix compró unas coca-colas y los tres nos quedamos sentados cerca de Aurora esperando que viniera alguien a sustituirnos pronto.

Por fin, las puertas giratorias giraron y Nigel, Donna y Ofelia entraron en el hotel. Antes de moverme de

donde estaba sentada ya vi que Ofelia *no* tenía *muy buena cara*.

Donna desapareció rapidamente en el ascensor con Ofelia, y Nigel se acercó a nosotros.

Bueno... parece que no tiene nada roto, gracias a Dios. Pero cayó de bruces y tiene la nariz un poco... ejem... hichada... y además se ha torcido el tobillo de mala manera y no puede apoyar el pie. Menos mal que le ha cogido el tranquillo a las muletas bastante rápido.

Se ha hecho un silencio mientras nosotros nos hacíamos cargo de la situación. Después, Felix ha hecho la pregunta que todos teníamos en mente...
Pero ¿podra actuar mañana por la noche?
No... Me temo que no...
Aurora, que nos había estado dando la espalda todo el rato, se irguió de repente.
¿Qué has dicho?
Sí, Aurora, ¡parece que al final vas a actuar tú en el estreno!
¡¡Aaaaaaaah!!
¡Yo delante de toda la prensa!
Y Ofelia me dijo que quizás vendrá Joe Fitt... Y Amelie Rose...

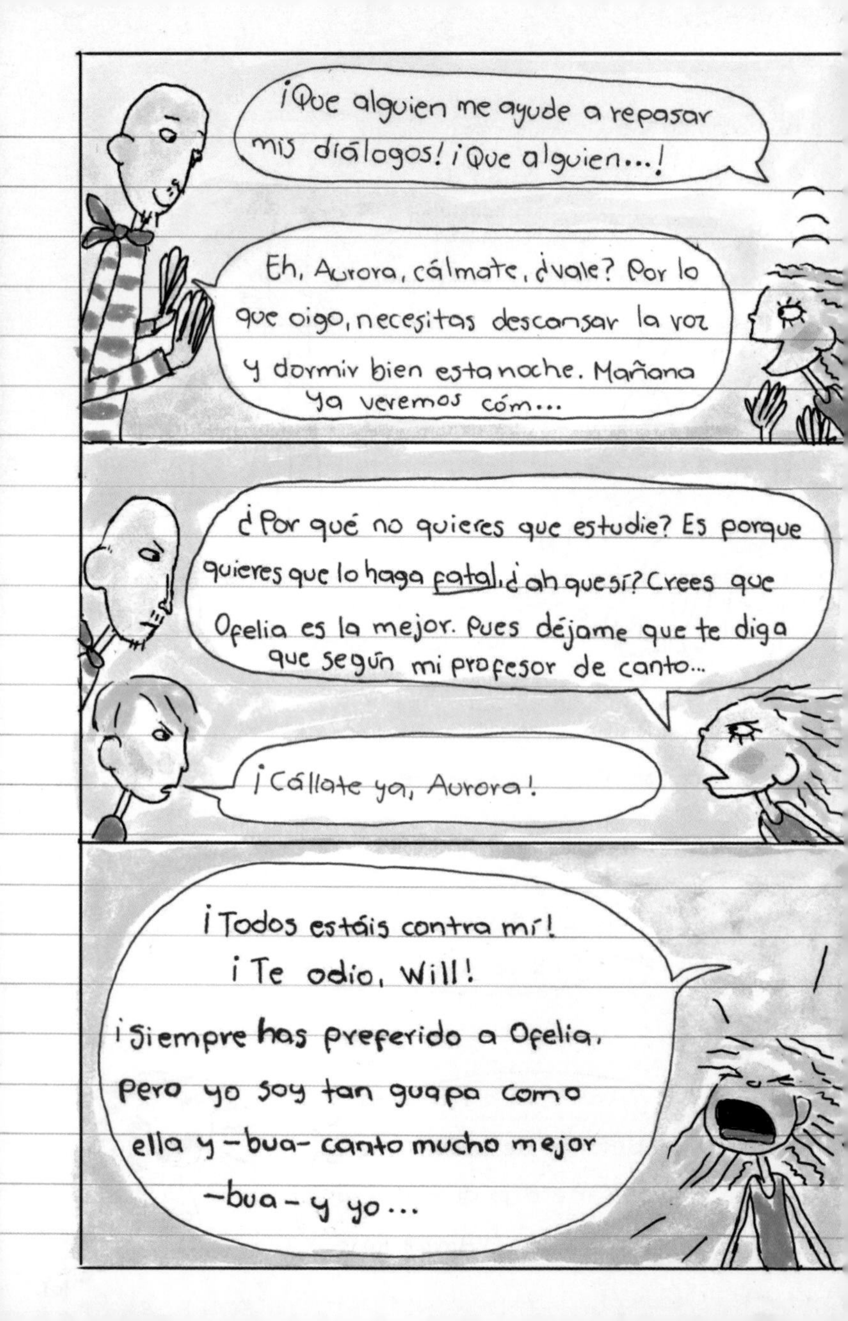
¡Que alguien me ayude a repasar mis diálogos! ¡Que alguien...!
Eh, Aurora, cálmate, ¿vale? Por lo que oigo, necesitas descansar la voz y dormir bien esta noche. Mañana ya veremos cóm...
¿Por qué no quieres que estudie? Es porque quieres que lo haga fatal, ¿ah que sí? Crees que Ofelia es la mejor. Pues déjame que te diga que según mi profesor de canto...
¡Cállate ya, Aurora!
¡Todos estáis contra mí!
¡Te odio, Will!
¡Siempre has preferido a Ofelia, pero yo soy tan guapa como ella y -bua- canto mucho mejor -bua- y yo...

A ver, a ver Aurora... tú no odias a nadie. Lo que pasa es que te acabas de enterar de algo inesperado y te has puesto un poco nerviosa. Ahora tienes que dejar descansar la voz. Cuanto más gritas, más ronca se te está quedando, así que te voy a pedir algo bien calentito para que te lo bebas en tu habitación.
Y no te preocupes por los diálogos. He decidido que vamos a hacer otro ensayo general mañana.
¿Lo ves? No te fías de que lo pueda hacer bien. Seguro que me mandas repetir aquella ESTÚPIDA ESCENA otra vez ¡"Histerismo silencioso"! ¡No se puede estar hist...
Aurora, ¿te has vuelto LOCA? te acaban de decir que el papel es tuyo y en lugar de estar dando saltos de alegría... No lo entiendo, de verdad. Si me lo dieran a mí...
Tú no lo puedes entender, Felix. Eres demasiado insensible para que te afecten sus comentarios...
Ya basta, Aurora. Te estás pasando. Vamos a buscar a Donna.

27 de julio El día siguiente. Muy temprano (demasiado)

yo, soñando con los angelitos, vagamente consciente de un ruido desagradable (aunque bien conocido) en mi oído izquierdo.

He abierto los ojos despacito y he visto esto encima de mí, asique los he vueto a cerrar **RÁPIDAMENTE**

Hipólita, por el amor de Dios, ¡CONCÉNTRATE!

Me ha sentado en la cama de un tirón y me ha cogido la cara con las dos manos.

A ver, ¿me vas a prestar atención ahora?
Qué remedio...

Bien, pues voy a preguntártelo otra vez: ¿Te sabes los diálogos de la obra?
¿Me había despertado para hacerme un examen?
¿La obra?
Poly, ¿es que no te llegó al cerebro ninguno de mis genes? ¡La obra que estrenamos esta noche!
Mamá, ¡ya sé que estrenáis esta noche! Tendría que padecer muerte cerebral para no haberme enterado de eso.
icho mo si stuviera xplicando cuentas muy difíciles a un niño de seis años
Vale. Pues a ver cómo te lo digo para que me entiendas... En-la-obra-que-estrenamos-esta-noche-hay-un-personaje-bastante-importante-que-se-llama-Sara-y-es una-niña-que...
Mamá, ¿cómo quieres que no sepa eso? ¡Hace dos días que no hago más que oír a Ofelia y a Aurora pelear por el estúpido papel!
dicho muy deprisa y con mucha rabia
Bueno, pues parece ser que la pelea ha podido con las dos.

¿Cómo?
Ay, Hipólita, ¿voy a tener que deletreártelo?
¡Pues sí! Yo no tengo ni idea de lo que estás diciendo.
A ver... Octavia se quedó coja y con la nariz como un tomate...
Sí, mamá... Yo estaba allí cuando Ofelia se cayó, ¿te acuerdas...?
Y... la otra... se ha quedado afónica.
¿Aurora? ¡No! ¡Pero si tiene una voz que llenaría un aeropuerto!
Pues se ve que hoy se ha quedado sin nada... No puede decir ni mu.
Me he acordado de la advertencia que le hizo Nigel anoche.
He intentado no reírme...
pero no lo he conseguido.
¡Ji Ji Ji!

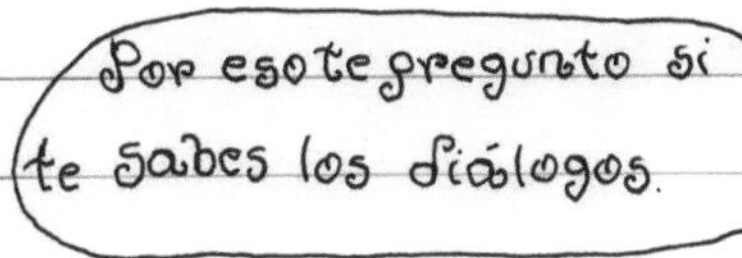

Por eso te pregunto si te sabes los diálogos.

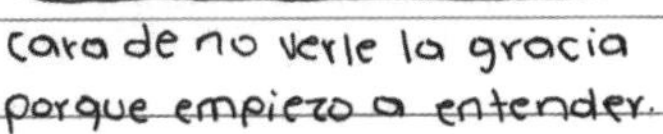

cara de no verle la gracia porque empiezo a entender.

Que si me sé los... **¡Mamá!** ¿Mamá? No me irás a decir que... No puede ser... **¡NI LOCA!**

Estoy **segura** de que lo puedes hacer, Polillita-Bonita. Tampoco es un texto tan largo... Y tú no eres tonta del todo. Tienes que haber heredado algo de mi talento, por poquito que sea.

No tiene ni idea de cómo infundir confianza en una niña.

¡Espero que estés de guasa!

dicho desde debajo del edredón

Venga, Polillita-Chiquita, ¡el espectáculo no puede seguir sin ti!

¡NI HABLAR!

No puedo decir que el ensayo general haya ido bien...

sí que nos pasamos toda la tarde repitiendo mis escenas una una con los otros actores implicados. Todos hicieron esfuerzos no quejarse de haber ~~que~~ tenido que cancelar sus masajes el spa.

las cinco, Nigel dio unas palmadas.

Está bien, queridos, creo que por ahora no podemos hacer nada más. Iros un ratito a tomar el sol, a comer y a relajaros.

¿Relajarnos? ¿Estás de broma?

Dentro de dos horas y media yo tenía que salir al escenario ¡delante de 900 personas!

Todavía no se había ido...

¡Vas a hacerlo estupendamente!
Mutis de Nigel, que me ha dejado con la boca abierta
EXPRESIÓN NO MUY FAVORECEDORA QUE DIGAMOS
y que Will ha llegado justo a tiempo de contemplar.
Eh, Po, ¿te vienes a comer algo?
¡Un momento, tortolitos!
¡Tengo que ponerle los alfileres antes que desaparezcáis hacia la puesta del sol!
¡MUCHAS GRACIAS!, Janie de vestuario.
Serás muy buenísima con los alfileres, pero lo que es el tacto...

Desde ese momento, las cosas han ido de mal en peor. Janie de vestuario me hizo subirme a una mesa y quedarme como un pasmarote —un pasmarote muy, muy colorado— durante una eternidad. Mientras, ella me ponía más y más alfileres en el vestido.

Bueno ya está. A las seis lo tendrás listo. ¡Os podéis ir por ahí a divertiros un rato!

¡¿A DIVERTIRNOS?!

¿Dos horas antes de salir al escenario?

Eso no era posible.

Janie tenía que haber dicho:

Ve a sentarte delante de una hamburguesa y trata de no vomitar.

Eso sí lo podría haber ~~dicho~~ hecho.

De ~~echo~~ hecho, eso es lo que he estado ~~acien~~ haciendo... durante una hora aproximadamente.

Después hemos vuelto al teatro para...

Vestuario (mareada)...

Maquillaje (más mareada)...

Pelucas (más todavía)...

y de repente,
allí estaba yo
entre bastidores,
espiando a un
patio de butacas
INFINITO y
esperando la
indicación para mi
primera entrada...
¡AAAAAAAAAH!

LA OBRA DE TEATRO

No sé si dije mi texto en el orden que tocaba, ni si lo

sin darme cuenta, habíamos llegado a la escena final.

VISTA POR LA ARTISTA (YO)

dije desde donde lo tenía que decir, pero la cuestión es que

Al cabo de nada, todo había terminado y alguien me empujaba al escenario para el saludo final.

¡Lo había conseguido! Y además... ¡me había gustado!

En un par de momentos durante la representación había creído que me llamaba Sara de verdad y que tenía un hermano y que ¡nos estábamos fugando!

Pero después, cuando realmente creía que habíamos terminado, todos empezaron a hablar de prepararse para la fiesta.

Yo no pensaba ir <u>DE NINGUNA MANERA</u>

Me he tragado demasiadas fiestas de estreno en mi vida para saber que no me gusta quedarme sola en un rincón mientras los actores dicen cosas a mi madre.

¡Sencillamente maravillosa, querida!

Oh, cielo, ¡has estado sensacional!

Por eso he vuelto al camerino, me he puesto los vaqueros y me dirigía a la salida cuando...

¿Adónde te crees que vas, tesoro?

¡VAYA! Nigel me cortaba el paso blandiendo una bolsa grandísima

Esta tarde he mandado a Donna a comprarte algo para la fiesta... por si a ti se te olvidaba. Así que ¡te espero allí!

Orlando

Y se fue dando saltitos, dejándome con la bolsa en la mano, la boca abierta y esto ↓

HOTEL COLISEUM

AVENIDA PARKWAY, SAN FRANCISCO

tiene el placer de invitar a

Poly Price

a la fiesta del estreno de

Desconsuelo

Viernes, 27 de julio

a partir de las 10 de la noche

He mirado en la bolsa. Dentro había uno de esos vestidos brillantes de los que me enamoré en la tienda de Orlando. ¡Además de un par de bailarinas de satén del mismo color y de mi número!

Janie de vestuario me ha ayudado a ponerme ~~irec~~ irreconocible y después ha sacado esta foto para dejar ~~cost~~ constancia. →

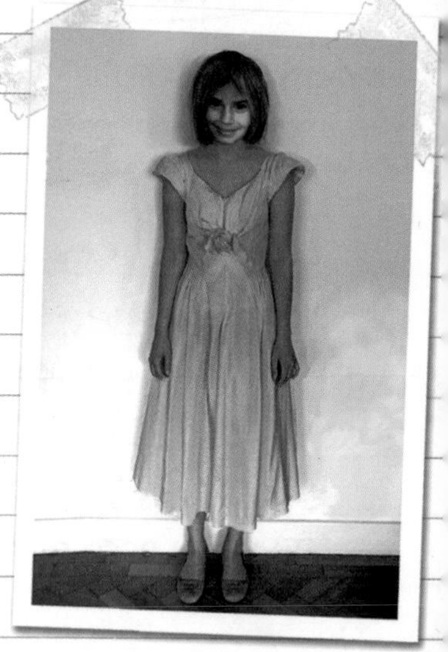

Antes de que pudiera pensármelo dos veces, nos estaban llevando a todos en volandas hacia el coliseum, dejándonos ante un mar de fotógrafos y cámaras.

Yo solamente procuraba pasar entre todos sin tropezar con nada. Cuando por fin he conseguido llegar a la Suite de Banquetes, Will me ha dado un codazo y ha señalado algo con el dedo.

Ofelia y Aurora nos estaban mirando sin ninguna muestra aparente de cariño.

La verdad es que me he quedado un poco sorprendida de verlas.

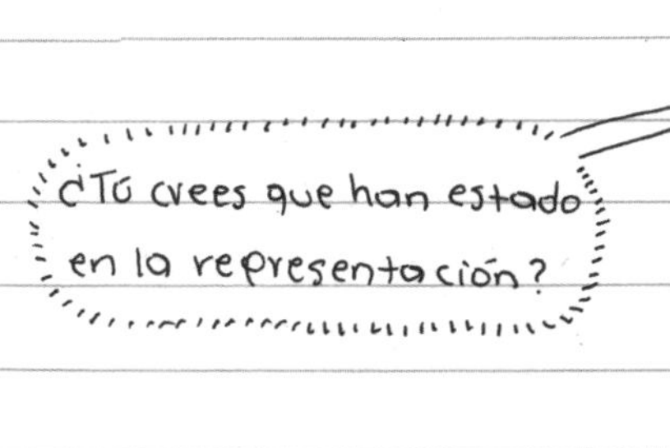

¿Tú crees que han estado en la representación?

Antes de que pudiera contestarle, ya estábamos rodeados...

¿Cuánto hace que trabajáis en el teatro?

¿Habéis actuado juntos antes?

¿Qué representa trabajar con Arabella Diamonte?

¿Alguien ha mencionado mi nombre?

Amos, tesooooro. ¡Qué alegría verte aquí! ¿Que te ha parecido mi polillita? ¿No crees que ha estado estupenda?

ZAS

No me sorprende. Después de todo, es mi hija. Puede que algún día llegue a conmover a una audiencia...
¿Le da clases usted misma?
¡Por supuesto! Yo le he enseñado todo. Ha estado observando y aprendiendo desde la cuna. ¿Verdad que sí, Polillita-perlita?
Amos, guapo, ¿por qué no llamas a este fotógrafo tan divino que has traído y le pides una foto de las dos? ¡Una imagen de madre e hija! ¿No sería un éxito para tu periódico? Hipólita, ponte aquí...
Walter, cielín, vete a buscar algo de comer, que pareces hambriento.
GARRA EN EL HOMBRO
EMPUJÓN

CASI UNA HORA MAS TARDE

Estoy sentada en la tapa de un váter para esconderme de TODO EL MUNDO.

En cuanto mi madre me soltó, intenté encontrar a Will para pedirle perdón. Estaba justo al otro extremo de la sala, sentado en un sofá con Felix. Los dos tenían platos de comida sobre las rodillas y me ha parecido que no querían ser interrumpidos, así que me he quedado donde estaba y me he acordado de lo mucho que odio las fiestas de estreno.

Pero al cabo de un momento, la idea de quedarme sola y aburrida en un rincón ya no me parecía tan mala, porque se avecinaba algo peor...

Ofelia y Aurora venían directas hacia mí y he tenido la impresión de que no era para decirme:

Cariño, has estado maravillosa_

Menos mal que con muletas no se corre muy bien y en cambio con mis bailarinas se corre de maravilla.

Yo ya tenía localizado el letrero de señoras 

(una estratejiagia de fuga muy antigua, pero muy efectiva)

Así que he salido disparada hacia aquí.

EL PROBLEMA es que ahora he terminado de escribir todo lo que ha pasado y

ME MUERO DE HAMBRE

A estas horas, Ofelia y Aurora ya se habrán ido.

Y supongo que algún día tengo que salir de aquí de todas formas.

YO

~~ignominiosamente~~ escondida en los servicios (muy elegantes y relucientes, con mucho mármol por todas partes, ¡como un palacio!)

MUCHO MÁS TARDE

He bajado la cabeza (así no puedes cruzarte con la mirada de nadie) y he andado deprisa hacia las mesas de la comida.

Una muleta me impedía el paso.

imitación nada mala de la voz de mi madre
¿A dónde te crees que vas, Polillita-mosquita?
imitación nada mala de un ratón estrangulado
Eee... A ningún sitio...
bastante alto para llamar la atención de todos
¿Seguro que no vas a robarle su papel a nadie más?
voz más chirriante que un murciélago estrangulado
Yo no te robé el papel, Ofelia.
Susurro ronco pero gritón, como una urraca
No sé qué pintan los ratones, los murciélagos y las urracas aquí
NO, ¡me lo robaste A MÍ!
¡Aaaaah! Se me terminó el cuaderno, así que he añadido unas hojas que me ha dado Will.

bastante alto para hacer callar a toda la sala

Lo has estado tramando todo desde el principio, ¿ah que sí? Siguiéndonos a todas partes, haciendo la pelota a los chicos, espiando todo a ~~urta~~ hurtadillas, aprendiéndote los diálogos a escondidas... hasta que finalmente conseguiste lo que querías. El probrema, <u>Señorita Ladrona</u>, es que no se puede robar <u>EL TALENTO</u> ¡Ni las buenas críticas! Y supongo que no hace falta que te diga que tu actuación ha sido un <u>DESASTRE</u> total. Todo el mundo está de acuerdo.

Yo, tratando de no ponerme a llorar por <u>segunda</u> vez esta noche

Pues a mí la interpretacion
e Poly me ha parecido
nmensamente emotiva...

¡Nigel me estaba sonriendo! Y de repente todo el mundo le ha dado la razón...

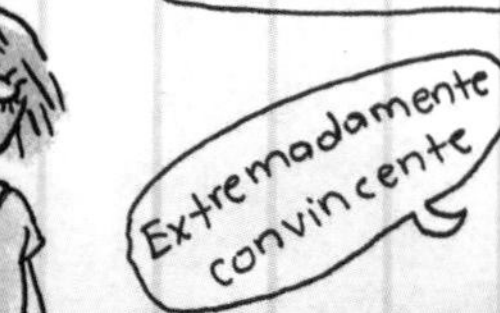

¡Es muy buena actriz!

En aquel momento, un periodista ha dicho:

Los dos jóvenes lo han hecho francamente bien. ¿Podemos sacar una foto de la niña con el hermano?

Y sin darme cuenta, alguien trajo a Will y ¡todas las cámaras nos estaban enfocando a los dos!

¡Alguien me dio esta foto!

Cuando terminaron de sacarnos fotos, Will me dijo...

Será mejor que vengas a rescatar tu plato, Po. ¡Aurora le ha ~~h~~echado el ojo a tu salchicha!

¿Mi plato?

Hace rato que estabamos esperando que la **JOVEN ESTRELLA** venga a deleitarnos con su compañía.

Mientras yo me hacía un hueco en el sofá entre Will y Felix y me metía en la boca lo que quedaba de mi salchicha, he tenido la sensación de que esta noche era el final del **MEJOR** día de mi vida...

y de que **NADA** me lo iba a estropear...

No sé qué parece, con ese vestido.
¡Parece una lámpara!

... Absolutamente **¡NADA!**

EL CORREO DE SAN FRANCISCO

En escena esta semana

DESCONSUELO

Leticia Milton, crítica teatral

Teatro Rondo

Magistralmente dirigida por Nigel Dillane y ambientada durante la Segunda Guerra Mundial, *Desconsuelo* es una obra durísima pero al mismo tiempo tierna, que cuenta con un reparto íntegramente británico, llegado directamente del West End londinense.

Daniel Hopkins está impresionante como de costumbre en el papel del oficial de la Gestapo Otto Schmidt. Además, el público americano puede admirar la sorprendente actuación de Arabella Diamonte en el papel de Elsa, una madre cuya vida se ve destrozada por los horripilantes sucesos de la Alemania de la época. Diamonte interpreta el papel con su característico brío, que en algunos momentos resulta algo pletórico dado el contexto de la obra.

He buscado esto. Significa co[n] abundancia excesiva de algo...

Un placer inesperado es el debut de Hipólita Price, hija de Diamonte en la vida real, que interpreta a su hija ficticia Sara. Price (en el papel de Sara) y William Granger (en el papel de Hugo) ofrecen interpretaciones realmente contundentes del hermano y la hermana obligados a escapar.

Contundente suena fatal. Significa que produce contusión, pero Will todo dicen que eso es bueno(...

No hay que dejar de mencionar l[a] interpretación de Ron Slimey como e[l] oficial muerto, porque el actor consigu[e] estar inmóvil en el proscenio durant[e] prácticamente veinte minutos.

El resultado de todo ello es u[n] gran espectáculo que recomiend[o] encarecidamente.

*Arabella Diamonte con su hija Hipólita anoche, en el estreno de **Desconsuelo**.*

10 JUN

THE RONDO THEATRE
GEARY STREET, SFO.
PRESENTS
TORN ASUNDER
* * * *
JUL 27 7:30PM
ORCH N 56 38.00
SECTION ROW/BOX SEAT PRICE

VT0727E
7:30PM
TORN ASUNDER
OHM162404628
JUL 27

esto es para agitar cócteles

27 de julio

Gracias Poly

Has hecho una Sara maravillosa

¡Estoy muy orgulloso de ti!

Nigel.